Het Heksenhotel

www.annavanpraag.nl
www.leopold.nl

Anna van Praag

het Heksenhotel

Leopold / Amsterdam

'You can check out any time you like
But you can never leave.'
(The Eagles, Hotel California)

Omslagfoto Mark Sassen
Omslagontwerp Petra Gerritsen
NUR 283 / ISBN 978 90 258 5166 8

Uitgeverij Leopold drukt haar boeken op papier gemaakt met FSC-gecertificeerd hout. Zo helpen we waardevolle oerbossen behouden.

Dagboek

- 17 juni -

Een dagboek!

Een ouderwets dagboek met Chinese tekens op de kaft en zogenaamd vergeeld papier.

Echt iets voor mijn moeder. 'Misschien helpt het een beetje in deze moeilijke tijden, Laura,' zei ze er nog bij.

Welke moeilijke tijden?

Mama zei: 'Je weet best dat ik de scheiding met papa bedoel.'

Wat moet je daarop antwoorden?

Een dagboek is leuk voor meisjes van zes die net kunnen schrijven en trots zijn op hun nieuwe pen. Of als je Anne Frank heet. Die leefde pas echt in moeilijke tijden.

Oké, ik doe alleen vandaag. Omdat het zo'n belangrijke dag is. Mijn laatste schooldag!

Dag basisschool met je suffe krijtjeslucht. Dag juffen en meesters, die mij vanaf mijn kleutertijd hebben gekend. Nu is de beurt aan mijn zusje Elvie. Zij is vijf en vindt school nog het allerbelangrijkste in haar leven.

Vanavond spelen we nog één keer de musical voor alle ouders. Ik denk dat er wel een paar meisjes zullen huilen. Misschien ikzelf wel. Want Emily en Susan en Natascha gaan allemaal naar het lyceum. Net als Job en Simon en alle andere leuke kinderen. Die zien elkaar na de vakantie gewoon weer.

Terwijl ik... Slimme Laura moet natuurlijk naar het gymnasium. Eén keer ben ik er geweest, samen met mijn moeder. Ik ging steeds langzamer lopen, zij steeds sneller. 'Echt een heel goede school, Laura. Het lijkt op de school waar ik zelf als meisje op heb gezeten.'

'O ja? Het lijkt meer op een gevangenis. Heb je die kleine raampjes gezien?'

Toen zag ik ineens een paar grote jongens met sigaren. Niet eens sigaretten, maar vrij dikke, stinkende sigaren.

'Mama! Het zijn nepkinderen. Grote mensen die zich vermomd hebben als kinderen.'

Mijn moeder moest lachen. En het hielp niks.

17 juni. Een feestelijke en een droevige dag tegelijk.

– 18 juni –

Waarom gaat er bij mijn vader nooit iets op een normale ma-nier? Mijn vriendinnen weten maanden van tevoren wanneer ze op vakantie gaan en waarheen. Hun ouders hebben tenten gekocht, autoslaaptreinen gereserveerd, hotels geboekt.

Tot een uur geleden dacht ik dat wij dit jaar niet op vakantie zouden gaan. Vakantie is immers met papa en mama samen. En mama moet de hele vakantie werken. Bovendien (dat vergeet ik nog steeds) woont ze niet eens meer bij ons.

Dus zaten Elvie en ik vanmorgen rustig in onze pyjama's te ontbijten. Toen kwam ineens mijn vader binnenstormen, terwijl hij normaal nooit voor elf uur zijn bed uit komt. Hij zette de tv uit en keek ons aan met zo'n bezeten blik in zijn ogen. 'Meiden, het is zomervakantie. We gaan op reis.'

'Nu?' vroeg Elvie.

Ik begon te lachen, maar mijn vader zei ja. 'Ga je koffers pakken. We moeten einde middag bij de boot zijn.'

Ik dacht meteen aan een cruise en Elvie dacht aan Texel. Maar het bleek Ierland te zijn. Ierland!

'Niemand gaat naar Ierland,' zei ik.

Mijn vader begon uit te weiden over weilanden, waar je op hazen kunt jagen en riviertjes vol met vis. En als klap op de vuurpijl kwam hij met de aanbeveling dat je in Ierland 'helemaal tot rust kunt komen'.

Ik vroeg wat Elvie en ik daar dan in vredesnaam moesten doen en mijn vader zei geheimzinnig dat hij had gehoord van een fantastisch hotel.

'Met zwembad?' vroeg Elvie

'Nee, dat niet. Maar het ligt heel afgelegen en ze verbouwen hun eigen groente.'

Ik probeerde verbijsterd te kijken. Maar nu ben ik toch naar boven gelopen om mijn koffer in te pakken. Normaal doet mama dat altijd. Wat moet mee? Mijn bikini? Muziek? Al mijn lievelingskleren zitten in de was. Wat een gedoe. En ik hou helemaal niet van groente.

Dit dagboek gaat NU in de koffer. Heb ik tenminste iets te doen daar.

– 19 juni –

Gisteravond mama nog aan de telefoon: 'Ierland is prachtig, lieveling.'

'Ja, ik weet het. Ze verbouwen hun eigen groente.'

'Wat? Je hebt daar van die beeldschone Keltische monumenten.'

Keltisch, wat is dat ook alweer? Ik vroeg maar niks, anders zou mama het eerste halfuur niet meer ophouden met praten. En bellen naar een hotel in Kaapstad is al duur genoeg.

Mijn moeder is dokter, hartchirurg. Ze is bijna nooit thuis, zo belangrijk is ze. Maar ze heeft beloofd dat ze de laatste week van de zomervakantie vrij zal houden om met mij alle spullen voor de nieuwe school te kopen.

Ik zei: 'Ik verheug me er nu al op. Ik hou niet van monumenten.'

'Doe niet zo kinderachtig, Laura.' Het was juist een heel goed idee van papa om met Elvie en mij naar dat Keltische, gezonde Ierland te gaan, vond ze.

Inmiddels zijn we twee zeeën overgestoken en nu zitten we in Dublin. Hier slapen we een nachtje en morgen rijden we in één ruk naar het hotel.

De huizen zien er hier vrolijk uit: roze en geel en lavendelblauw. In de straat van ons hotel zijn overal terrasjes en leuke winkels. Verderop heb ik een disco gezien. Bleven we maar hier, in plaats van weer met die bloedhete auto het platteland door te crossen. Papa raakt steeds de weg kwijt en na twee uur begint hij steevast te mopperen en te steunen omdat het zo moeilijk is om links te rijden en ook nog op de kaart te kijken.

Normaal rijdt mama en dan slaapt papa, want hij heeft erg veel slaap nodig.

– 20 juni –

We zijn in het hotel!

Ik dacht even dat het nooit zou gebeuren. Niemand kende het plaatsje Summerlands of de naam van het hotel (het Coven Hotel). Sommige mensen werden zelfs boos als we de weg vroegen. Uit papa's nekplooien lekte steeds meer zweet en Elvie huilde omdat ze moest plassen en papa niet wilde stoppen. Ik begreep nog steeds niet wat er nou zo bijzonder was aan precies dít hotel, maar papa moest en zou erheen.

Ineens hield de weg op. Er stond een klein blauw huisje dat 'Annie's place' heette. Dat was de kroeg van een vrouwtje van een jaar of honderd. Ze stond zelf achter de bar en toen we de naam van het hotel zeiden, schrok ze verschrikkelijk. 'Die plek is vervloekt,' zei ze met een dramatische bibberstem.

Gelukkig spreek ik vrij goed Engels – dat is een voordeel van opgroeien met au pairs – dus ik begon die Annie uit te horen. Volgens haar woonden er vroeger heksen in het Coven Hotel, die alle huwbare mannen uit de buurt naar zich toe lokten. Zodra die mannen daar aankwamen, werden ze geofferd aan de Opperheks. 'En hun geesten dolen hier nog steeds rond,' fluisterde Annie op onheilspellende toon.

Heksen, mensenoffers... Ineens vond ik het toch niet zo stom om naar dat hotel te gaan!

Je moest een kronkelpad door de weilanden volgen en daar lag het op een heuvel. Gewoon een oud landhuis, een beetje vervallen. Eerst dachten we zelfs dat het gesloten was, maar toen kwamen er drie kinderen aan op paarden. Paardrijden! Wat had ik dat lang niet meer gedaan – mijn laatste les is zeker twee jaar geleden. Zou ik het nog kunnen, zo'n buitenrit dwars door het veld?

De kinderen heetten Brenna, Bonnie en Merlijn en ze waren Nederlands. Volgens mij wonen ze in het hotel. Bonnie is het leukst, haar ogen lijken een beetje op vuurwerksterretjes.

'Is dit het hotel van Dana?' vroeg papa en hij werd een beetje rood.

Elvie en ik keken elkaar verbaasd aan. Dana?

'Ik ben haar goudsmid,' zei papa tegen Bonnie, 'ik heb een paar maanden geleden een aantal oude sieraden voor haar gerepareerd.'

Dat kan. Papa heeft vaak klanten die van heinde en ver komen. Waarom heeft hij dat niet eerder verteld?

'Wat zal Dana blij zijn dat jullie er zijn,' zei Bonnie. Ik keek haar aan of ze geen grap maakte, maar ze straalde helemaal.

We kregen een mooie grote kamer op de eerste verdieping.

'Er is net vanmorgen iemand weggegaan,' vertelde Bonnie. 'Zij woonde hier eerst. Jullie hebben geluk.'

Elvie en ik keken elkaar weer aan. Hoezo woonde? Het is toch een hotel?

Nu lig ik op een houten kraakbed te schrijven. Ons eigen huis heeft ook hoge ramen, maar daardoorheen zie je de andere huizen. Je ziet wie er aan het koken is en welk televisieprogramma de buren aan hebben staan. En aan de voorkant is een brede straat met trams, bussen en auto's.

Hier zie je alleen maar weilanden. Het is koel en stil. Doodstil zelfs.

Geen televisie, geen computer, zelfs geen bereik voor mobiele telefoons... Dus dit is mijn vaders idee van 'helemaal tot rust komen'. Pff, helemaal in slaap vallen zul je bedoelen.

Wat doen die kinderen hier de hele dag, behalve paardrijden?

– 22 juni –

Over Midzomernacht

Nog maar een dag in het hotel en meteen al een feest! Ik begin te begrijpen waarom papa hierheen wilde.

Midzomernacht noemen ze het en het wordt gevierd op 21 juni. Die klant van papa, Dana, had ons uitgenodigd.

Het begon al spannend. Om vijf uur 's ochtends werden we opgehaald van onze kamer. Het was buiten nog helemaal donker. Ze namen ons mee naar een heuvel en een beetje giechelig begonnen we omhoog te klimmen. Bovenop was een berg oude stenen (dat is een heilige plek van de druïden, maar dat wist ik toen nog niet). Er stonden best veel mensen in een grote kring naar mooie, zachte muziek te luisteren. Papa duwde ons ertussen. Gelukkig stond ik naast die Bonnie, ze lachte naar me.

Toen kwam Dana. Ik wist meteen dat zij het was. Ze heeft gele kattenogen en pikzwart, steil haar dat precies goed over één schouder valt. Haar huid is bruin zonder verbrand te zijn en ook nog eens glad en glanzend als een karamelsnoepje. Als sieraad droeg ze een bandje om haar hoofd waardoor ze eruitzag als een indianenvrouw. Ze had blote voeten en droeg een gouden jurk.

Dana hield een heel verhaal, ik weet niet meer precies waarover. In ieder geval dat het zo fijn was dat papa er was 'met twee van die prachtige dochters'. Iedereen keek naar Elvie want die is echt heel mooi, met een fijn gezichtje en rood krullend haar. Met zulk haar win je altijd, het maakt niet uit wat de wedstrijd is. Naar mij keek natuurlijk niemand.

Het ging ook over Midzomernacht; Dana noemde dat het feest van de Zonnegod. Ze zei dat je met Midzomernacht een wens kan doen, net als wanneer er een ster valt.

Bonnie kneep even in mijn hand. Volgens mij worden we vriendinnen.

Toen begon de hele kring rond te lopen.

'Gaan we zakdoekje leggen?' vroeg Elvie verbaasd. Bonnie en ik moesten heel erg lachen.

Terwijl we rondliepen, begonnen ze allemaal wensen te roepen.

'Vrede en vrijheid!'

'Nooit meer bang zijn!'

'Wijsheid voor de wereld!'

Bonnie zei niks en papa en ik ook niet. Ik dacht wel: mijn wens is dat ik niet naar dat stomme gymnasium moet. Of dat mama weer bij ons komt wonen.

Ik werd een beetje duizelig.

Maar net zo plotseling als het rondlopen begonnen was, stopte het ook weer. Iedereen deed zijn handen omhoog. Ik botste net niet tegen papa aan.

PRECIES OP DAT MOMENT KWAM DE ZON OP! De hemel boven de weilanden werd roze en paars. De zonnestralen weerkaatsten op de gouden jurk van Dana en verblindden mijn ogen. Knipper, knipper. Heb ik ooit eerder de zon zien opkomen? Veel mooier dan die overbekende zonsondergang. Ik wist niet eens dat de zon zoveel kleuren had. En de muziek paste er zo mooi bij... Knipper, knipper. Ik zag Elvie naar me staren en probeerde normaal te doen. Wie huilt er nou om een paarse lucht en een gouden jurk?

Daarna was er een picknick in het weiland. Met echte borden en tafelkleden en allemaal taarten. En weer overal muziek. Het leek wel een film.

'Hoe ziet de Zonnegod eruit?' vroeg Elvie. Ze is nu helemaal in die fase van elfjes en feeën.

Ik deed mijn mond open om antwoord te geven, maar toen zei iemand ineens: 'Vergeet die God maar.'

'Eh... wat?' Het was een waanzinnig knappe jongen met pikzwart haar en een beetje spitse neus. Hij droeg een leren jas, hoewel het behoorlijk warm was.

De jongen zei tegen Elvie (maar hij keek naar mij): 'Vergeet die God, alles draait hier om de Godin.'

Ik, blozend: 'De Maangodin?'

Jongen: 'Ja, en Dana is haar hogepriesteres.'

Hij lachte en ik zag dat zijn ene voortand een beetje donkerder was dan de andere. Daardoor vergat ik te vragen wat hij bedoelde met 'hogepriesteres'.

Elvie: 'Ik heet Elvie.'

Jongen: 'Ik weet het. Ik heet Ravi.'

Elvie: 'En dit is Elviepop. Ik ben vijf jaar.'

Jongen: 'Ik ben veertien.'

Elvie: 'Dit is mijn grote zus.'

Jongen/Ravi: 'Dag grote zus.'

Ik: '...'

Elvie: 'Daar zit mijn papa. Met die slagroom op zijn kin.'

Ravi: 'En daarnaast zit mijn moeder.'

Elvie: 'Die mevrouw met die gouden jurk?'

Ravi: 'Precies. Dana. Dana is mijn moeder.'

Ik (eindelijk woorden teruggevonden): 'Is Dana jouw moeder?'

Maar hij was al weggelopen.

Het duurde de hele dag. 's Avonds waren er kampvuren. Er kwam een oude Ierse man, die heel mooi verhalen kon vertellen. Jeremiah heette hij.

Jeremiah gelooft in elfen, net als Elvie. Hij zegt dat het prachtige wezens zijn, die wonen in ondergrondse heuvels. Ze kunnen zo mooi zingen dat ze je daarmee kunnen betoveren en dan moet je hen wel volgen naar dat ondergrondse rijk. Maar bij de elfen heerst een andere tijd, dus als je eenmaal in hun wereld bent geweest en terugkeert, ook al is er voor jouw gevoel maar een dag voorbijgegaan, dan is dat misschien wel honderd jaar. En wie eenmaal in de elfenwereld is geweest, zegt Jeremiah, zal nooit meer dezelfde zijn. Elfen nemen namelijk altijd bezit van een deel van je. Meestal één van je zintuigen, je oren of je ogen of zo. Brrr...

Toen de zon eindelijk onder was, gingen ze nog over de vuren springen. Maar ik was zo moe, dat ik half slaapwandelend naar het hotel ben teruggegaan.

Elvie sliep allang. Iemand had kaarsen aangestoken en in de kamer was het nog steeds warm. Het was zo stil, dat ik even bang was dat de elfen mijn oren hadden meegenomen. Maar toen bewoog Elvie in haar slaap en het bed kraakte verschrikkelijk. Ik ben in mijn eigen bed gekropen, om pas vandaag om twaalf uur wakker te worden!

– 25 juni –

Ik heb mama gebeld om te vertellen dat Ierland tot nu toe wel meevalt. Dat is nog een heel gedoe, want er is hier maar één telefoon die werkt en die staat in de gang, waar iedereen je kan horen.

Mama was erg blij. Ze wil de laatste tijd steeds dat Elvie en ik leuke dingen doen – ik denk dat dat met de scheiding te maken heeft.

'Zijn je ouders al lang gescheiden?' vroeg Bonnie. 'De mijne wel.'

'Die van mij pas vlak voor de zomervakantie.'

Bonnie keek me medelijdend aan. 'Was het erg?'

Ik haalde mijn schouders op. 'Het was wel gek. Papa en mama hadden best vaak ruzie, maar toch had ik niet gedacht dat ze ooit zouden gaan scheiden.'

'Waarover hadden ze ruzie? Over geld?'

Ik keek Bonnie verbaasd aan. 'Nee, niet over geld. Mama was gewoon de baas over het geld. Maar papa... Heel vaak als hij op ons moest passen, ging hij naar zijn atelier om sieraden te maken en dan moest de au pair ons in bed stoppen. Of Elvie en ik gingen gewoon zelf. Als mama daarachter kwam, werd ze heel boos op hem. En dan riep papa dat ze niet zo aan zijn hoofd moest zeuren want dat hij nou eenmaal die sieraden moest maken. En dat mama zelf nog veel minder vaak thuis was dan hij.'

'En toen?'

'Op een keer had mama een congres en toen ze terugkwam, moest ze de hele tijd huilen als ze dacht dat Elvie en ik het niet zagen. En papa liep rond met een ochtendhumeur dat nooit meer overging.'

'Wat was er gebeurd dan?'

Ik zei dat ik het niet wist. Eigenlijk denk ik dat ik het wel weet, maar dat zeg ik niet. Ik zei: 'Toen ze naar zo'n mevrouw gingen om over hun huwelijk te praten, wist ik dat het goed mis zat.'

'Ja, dan kan je het wel vergeten.'

'En niet veel later kwamen ze vertellen dat mama ergens anders ging wonen. Elvie moest heel erg huilen, maar ik niet. Ik heb er nog geen traan om gelaten, om die hele scheiding. Gek hè?'

Bonnie aaide me even over mijn arm, heel lief. 'Maar nu ben je hier.'

Precies. Het is vakantie! Ik ga paardrijden met Bonnie en proberen niet verliefd te worden op die Ravi met z'n zwarte zeeroverstand. Ik hoop dat ze hier vaker van die feesten hebben.

– 27 juni –

Ik vroeg vandaag aan Bonnie: 'Is dit eigenlijk wel een hotel?'

'Ja, natuurlijk.'

'Maar waar zijn de gasten dan?'

Bonnie sperde haar ogen wijd open en keek me verbaasd aan. 'Wat denk je dat je zelf bent?'

'Oké, er zijn een paar hotelkamers. Maar de eerste en tweede verdieping worden gewoon bewoond. Door jou en je moeder bijvoorbeeld.'

Bonnie knikte. 'Wij zijn nooit meer weggegaan. Zo fijn vonden we het hier.'

'Maar wat doen jullie dan de hele dag?'

'O, iedereen heeft zijn eigen taak. Mijn moeder doet de financiën, ze zit in de leiding. En anderen werken in de keuken of in de moestuin. We maken zelf wierook en wijn. Er is een oude man, die is dromenuitlegger.'

'Dat is toch geen beroep?'

Maar Bonnie praatte vrolijk verder: 'En zoals je al hebt gemerkt houden we erg van feesten, zoals Midzomernacht. Maar dat moet wel goed worden voorbereid. Dus er is altijd genoeg te doen.'

'Ik bedoelde eigenlijk wat jij doet. Moet je niet naar school?'

'Het is toch vakantie?'

'Maar daarna?'

'Er is ook een juf hier. Fiona.'

'Echt?'

Je gelooft het niet: alle kinderen (het zijn er acht) zitten samen in een klas, jong en oud, en elk kind heeft zijn eigen boeken. Dat is nog eens makkelijk.

Ik probeer nu zo snel mogelijk de namen van iedereen te leren.

– BONNIE (12): ik noem haar nog steeds soms sterrenmeisje, om haar ogen die vonken als vuurwerksterretjes. Ze wil musicaldanseres worden. Haar ouders zijn gescheiden en ze woont hier met haar moeder. Die zit dus in de leiding en heet (niet schrikken) Phoebe (spreek uit: Fiebie): slank, smaakvol gekleed, type succesvolle zakenvrouw. Ze is advocaat en kan vast meedogenloos zijn.

– BRENNA (16) en MERLIJN (14). Zij waren de ruiters, samen met Bonnie, toen papa en ik vorige week in het hotel aankwamen. Het zijn broer en zus en ze hebben allebei schouderlang blond haar. Ze zijn bescheiden en vriendelijk, met zachte stemmen. Hun ouders wonen hier ook, zijn een soort hippies.

– MYRISTICA en MORGANA: een tweeling, even oud als Brenna. Ze hebben lang zwart haar en zijn helemaal in het zwart gekleed, met zilveren armbanden en zilveren piercings door hun neus en wenkbrauwen. Maar ondanks hun gothic uiterlijk zijn ze heel lief en ze lachen de hele tijd. Hun moeder heet Angelica, is een soort dikke zigeunerin en zit ook in de leiding. Vader onbekend.

– ARTUR (13): een jongen die op een rat lijkt. Met pukkels. Helaas denkt hij zelf dat hij leuk is.

– RAVI (14) en BRIAN (18), de zonen van Dana. Ze moet wel heel jong zijn geweest toen ze hen kreeg want ze ziet er meer uit als een meisje dan als een moeder van grote kinderen en de baas van een hotel. Ze zeggen dat Brian en Ravi half-Keltisch zijn. Zouden ze daarom zo knap zijn? Ik durf amper naar ze te kijken...

Bonnie heeft me een liefdesbezwering geleerd. Die doen we nu elke dag. Dan moet je roze kleren aan en rozenwierook branden. Je maakt een kring van roze kaarsen en daar ga je in staan. Je doet je ogen dicht en denkt aan mooie en fijne dingen. Ik denk dan bijvoorbeeld aan de zon die de hele tijd zo lekker schijnt, aan zelfgebakken aardbeientaart of aan paardrijden. Dan zeg je tegen jezelf: 'Ik, Laura (of Bonnie), verwelkom de liefde van Ravi in mijn leven.' We moeten het tien dagen doen en dan zal Ravi verliefd op ons zijn.

Mijn moeder zou me heel hard uitlachen als ze dit wist.

Zij zegt altijd dingen als: 'Laura, je bent nog veel te jong om echt verliefd te kunnen zijn.' En (nog zo'n afschuwelijke): 'Wees gewoon jezelf.' Alsof dat betekent dat je niks bijzonders kunt doen.

– 28 juni –

Ik was net een brief aan mijn moeder aan het schrijven, toen Bonnie mijn kamer binnenstormde. 'Heb je laarzen?'

'Wat?'

'Je wilde toch rijden?'

Ik sprong op. 'Ik kan ook wel met gympen. Maar ik heb geen cap.'

'Ach, die heb je hier helemaal niet nodig. De grond is zo zacht.'

Bonnies paard heet Sparkling Vanilla, dat is een elfennaam. De andere twee paarden heten Whispering Flower en Mallorn. Die zijn bruin, maar Vanilla is wit met grijzige vlekjes en een heel zachte neus.

Bonnie klopte Sparkling Vanilla op haar flank.

'Stijg maar op. Of moet ik haar eerst even naar buiten brengen?'

Welk meisje zou dat doen – zomaar een vreemd kind op haar paard laten rijden?

'Weet je het zeker?' vroeg ik nog.

Ze lachte. 'Veel plezier!'

En daar ging ik. Het ging zo hard en Sparkling Vanilla is zo groot! Groot en jong en vurig. Ik trok aan de teugels, maar ik merkte meteen dat dit paard, als ze eenmaal in galop is, niet meer stopt. Ik ging rechtop zitten, benen los... ook niet. Dus stormde ik maar doelloos verder, een beetje jammerend, heuvel op, heuvel af. Uiteindelijk viel ik er af, maar de grond was inderdaad zacht, lekker grassig.

'Gaat het?' schreeuwde Bonnie.

'Ik wil eigenlijk nog wel een stukje,' riep ik terug.

Bonnie knikte begrijpend. Ze is al net zo'n paardengek als ik.

– 1 juli –

Tijdens het eten waren Ravi en zijn broer Brian steeds muziek aan het luisteren. Brian kent een paar DJ's in Londen, die hem af en toe de allernieuwste CD's opsturen. Ze zaten de hele maaltijd op de tafel te trommelen, 'Yes!' te zeggen en half te neuriën.

Uiteindelijk zei Dana: 'Mogen wij ook meeluisteren?'

Brian zette meteen zo'n CD op, keihard, de bassen lieten de glazen op tafel trillen. Ik dacht aan mijn moeder. Die zou helemaal GEK worden van zulke 'herrie'. Maar Dana is anders. Die houdt van klassiek, maar ook van trance en zelfs van r&b. Soms lijkt ze net een jong meisje.

Dus Dana was de eerste die begon te dansen. Daarna sleurde Brian Brenna van haar stoel. Bonnie sprong op de tafel alsof het een podium was, samen met Myristica en Morgana. Angelica, hun moeder, zette gauw de bordjes en de glazen opzij, maar ze lachte er vrolijk bij.

Het werd een superfeest. Iedereen danste met iedereen. Ik danste met papa, met Bonnie (op de tafel!), met Brian, heel even met Ravi en daarna heel lang met die blonde jongen, Merlijn. Die bleek het heel goed te kunnen, dus dat was leuk.

Het duurde wel twee uur voor we uitgedanst waren. Toen

hebben we nog heel lang buiten voor het hotel zitten praten en lachen, met een soort kruidenwijn erbij. Er hing iets in de lucht, want ik zag allemaal mensen met elkaar zoenen, ook Brian en Brenna. Papa zat heel lang met Dana te praten.

En ik? Ik zat met Bonnie bij Myristica en Morgana en we hebben zo gelachen! Bonnie kan heel goed mensen nadoen en wij moesten steeds raden wie het was.

Mond halfopen en wiebelschouders als een Goofyhond: – die stomme jongen, Artur.

Geheimzinnige blik en onduidelijk gefriemel met een mes: – Ravi.

Sloom gedans en wezenloos verliefd gestaar: – Brenna en Brian.

Kaarsrecht en een blik van 'ik ben de baas': – Dana.

Bonnie moest zelf steeds het hardste lachen van iedereen.

'En nou mij,' riep ik overmoedig, 'doe mij eens na.'

Bonnie dacht even na en toen begon ze met wijd opengesperde ogen en een hand voor haar mond om zich heen te kijken. 'Als Alice in Wonderland,' zei ze, 'zo loop jij hier rond.'

'Echt waar? Wat dom.'

'Helemaal niet,' zei Bonnie. 'Lief.' En toen gaf ze mij zomaar een kus. Ik werd er verlegen van. Zoiets doen mijn vriendinnen in Nederland niet. Nooit.

En al die tijd zat Ravi iets verderop en af en toe keek hij me even aan, heel doordringend. Zou de liefdesbezwering soms gaan werken? Het was in ieder geval enorm spannend.

– 4 juli –

Op de deur van het hotel zit een klopper. En op die klopper staat een soort ster. Diezelfde ster staat op een ketting die Dana heel vaak draagt. En vandaag zag ik die ster weer: op het lemmet van Ravi's mes.

'Zijn jullie allemaal joods?' vroeg ik aan Bonnie.

Ze keek me verbaasd aan. Toen begon ze te lachen. 'Nee, gek, dat is toch een pentagram.'

'De vijfpuntige ster,' zei Ravi. Hij pakte mijn vinger en bewoog hem over zijn mes: 'Water, vuur, aarde, lucht.'

Ik kreeg het enorm heet. 'En de bovenste punt?'

Ravi bewoog mijn middelvinger heel langzaam over de ster. 'De bovenste. Dat is de belangrijkste, Laura. Magie, weet je wel.'

'Doe niet zo mysterieus,' zei Bonnie. Volgens mij was ze jaloers. Ze zei een beetje kattig: 'Een pentagram is gewoon een heel oud teken. In de Middeleeuwen hingen de mensen het al boven hun deur om ze te beschermen tegen het kwaad.'

Ravi liet mijn hand los. 'Tot de heksenverbrandingen kwamen dan.' Hij stond nog steeds zo dichtbij dat ik hem bijna niet aan durfde kijken.

'Wat heeft dat daarmee te maken?'

'Toen werd het pentagram een heksensymbool.'

'Heksensymbool?'

'Ja, de duivelsster.'

Ik lachte. 'O, daarom hebben jullie overal pentagrammen. Jullie zijn heksen.'

Vreemd genoeg werd het heel stil na mijn woorden.

Toen zei Ravi: 'In één keer raak.'

'Wat bedoel je? Zijn jullie heksen?'

'Wel eens gehoord van wicca?'

Ik draaide me om naar Bonnie. Ze lachte, maar haar ogen deden dat niet. 'Bij heksen moet je niet denken aan oude vrouwtjes die in pruttelende ketels roeren, Laura. Het is heel hip om heks te zijn. Kijk maar naar de tv. Je kunt zelfs schoolagenda's kopen met pentagrammen erop.'

'Maar... wat doen jullie dan?'

'Niks anders dan je al hebt gezien. Maanfeesten vieren. Dansen in de heksenkring.'

'Was dat met Midzomernacht een HEKSENKRING?'

'Wat anders?'

Verbluft keek ik Bonnie aan. En Ravi zei iets als: 'Een onbreekbare kring, gezuiverd door aarde, water, lucht en vuur. Onder bescherming van de wachters van de vier windstreken. En geleid door Dana, de hogepriesteres.'

'Dus ik ben in een echte heksenkring geweest?'

'Ja, beviel het?'

Ik stond daar maar zo'n beetje dom te giechelen. 'Weet mijn vader dit?'

'Natuurlijk. Het is geen geheim of zo.'

Het is nu middag. Ik zit met mijn dagboek in de bibliotheek van het hotel, op de bovenste verdieping. Alles is hier hoog en licht. In het dak zitten glazen koepels waardoorheen je 's nachts de sterren kunt zien. Op de grond ligt overal wit tapijt. Hier zijn de privé-kamers van de leiding en van hun kinderen, zoals Bonnie. In de hoek is de deur naar Dana's kamer. Die grenst aan de torenkamer, haar heiligdom.

Bij de open haard staan zachte stoelen uitnodigend te

wachten. Overal kaarsen. En langs de muur rijen en rijen boeken. Heksenboeken dus. Ik zal een paar titels opschrijven:

Celtic druidism.

The clan of the Moon Goddess.

A witches guide to candle magick.

Ancient spellcraft and divination – dat zal ik eens openslaan. Wow, er staan echte spreuken in. Op de eerste bladzijde:

Mind the threefold law you should
Three times bad and three times good.

Iemand heeft er uitroeptekens bij gezet. Threefold? Threefold law? Ik moet meer Engels leren.

Het boek is veel gelezen. Maar het enige begrijpelijke is, dat elke spreuk op dezelfde wijze wordt afgesloten:

'*So mote it be!*'

Even proberen. Help, mijn stem klinkt ineens een beetje hard in de stilte. Snel het boek weer terugzetten.

Dus het zijn heksen. 'Je moest het toch een keer horen,' zei Bonnie. Ze keek me een beetje smekend aan alsof ze wilde zeggen: je bent toch nog wel mijn vriendin?

Natuurlijk. Welk meisje zou zomaar goedvinden dat je haar mooiste kleren leent en op haar paard rijdt? En wie ken ik die zo vrolijk is? Mijn vriendinnen in Nederland zijn eigenlijk best vaak chagrijnig. Ze vinden school stom, en jongens, en hun ouders, en dat ze thuis altijd zoveel moeten doen. Met hen ben ik altijd aan het mopperen. Bonnie is niet zo. Daar word je blij van.

Oeps, Dana keek net om de hoek. Ik voelde me erg betrapt, maar ze lachte juist heel lief naar me.

Dana is ook leuk, net als Bonnie. En Brenna. Myristica en Morgana. Zelfs de jongens, Ravi en Merlijn, zijn leuker dan wat ik in tijden ben tegengekomen. Als zij allemaal heksen zijn, dan vind ik dat juist spannend.

– 5 juli –

Ik vroeg aan papa: 'Wist jij dat ze hier heksen waren?'

'Ach, heksen...' Papa lachte alsof ik hem had betrapt met een kostbaar collier van een klant om zijn nek. Hij is de laatste tijd opvallend vrolijk.

Mijn vader is zo iemand die altijd verrassingsfeestjes organiseert: dan nodigt hij iedereen uit, koopt de buurtwinkel leeg (hij is de beste vriend van alle winkeliers), ruimt het hele huis op... en als de eerste gasten komen, vlucht hij naar zijn atelier om er de hele nacht niet meer uit te komen.

Soms woont hij dagen in dat atelier. Dan restaureert hij antieke sieraden voor rijke mensen en musea. Dagenlang kan hij in de ban zijn van een unieke gouden kandelaar uit de tijd van de Franse revolutie of zoiets.

En dan heb ik het nog niet eens over de sombere buien. Die zijn het allerergst. Ik denk dat mama uiteindelijk daarom van hem gescheiden is. Niet omdat papa een rare flierefluiter is die zijn afspraken niet nakomt en zijn kinderen verwaarloost. Want dat valt nog wel op te lossen met au pairs en een aardige buurvrouw. Maar dat hij 's ochtends op bed ligt als Elvie en ik en mama ontbijten. En dat hij nog steeds op bed ligt als Elvie en ik weer thuiskomen uit school. Dat we alleen maar tv zonder geluid mogen kijken omdat zelfs de piepjes van de computer hem irriteren.

Je vraagt: 'Papa, kan je me helpen bij mijn huiswerk?'

En hij zegt door de dichte slaapkamerdeur: 'Nu even niet.'

Elvie vraagt: 'Papa, wil je een pleister op mijn knie plakken?'

En hij zegt: 'Ga maar naar de au pair. De meter loopt.'

Mama belt en vraagt: 'Wil jij eten koken vandaag?'

En hij zegt: 'Laura! Gooi eens wat in de magnetron.'

Ik denk dat mama daar uiteindelijk niet meer tegen kon. Er is op dat laatste congres iets gebeurd waardoor ze dat opeens inzag. Dus is ze vlak voor de vakantie naar een flatje in de buurt verhuisd. En Elvie en ik bleven achter met papa en de au pair en de buurvrouw en de werkster en er veranderde eigenlijk niet zoveel.

Maar in het Coven Hotel is papa een belangrijk persoon: Dana's eigen sieradenmaker. Hier restaureert hij niet, hier ontwerpt hij zelf. Ze hebben hem een klein kamertje gegeven, vlak naast de keuken en daar werkt hij als een gek. Maar het fijne is: 's avonds komt hij er wel weer uit. Hij praat en lacht, gaat in het weekend vissen en is vrienden met iedereen – vooral met Dana eerlijk gezegd.

Ik zei: 'Ik dacht dat jij een hekel had aan dat soort dingen.'

'Wat voor dingen?'

'Zweverige dingen. Geloof bijvoorbeeld.'

Papa knikte. 'Dat klopt.' Toen begon hij te lachen. 'Maar ik heb geen hekel aan Dana. Nee, ik heb helemaal geen hekel aan Dana. Haha.'

Wat moet ik daar nou van denken?

– 8 juli –

Je hebt goede heksen en kwade heksen.

In het Coven Hotel zijn ze goed, maar er is hier ook een zwarte heks. Dat oude vrouwtje van de kroeg, Annie.

'Ze zit altijd afschuwelijke dingen over ons te vertellen,' zei Bonnie. Ze trok haar lip op in een tamelijk geslaagde imitatie van Annies tic.

'Wat voor dingen?'

'Je hebt het toch gehoord? Dat er vroeger mannen geofferd werden en zo.'

'Dat is toch juist grappig?'

'Vind je?'

'Ja, wat heeft dat nou met jullie te maken?'

'Alles. Meredith was Dana's moeder.'

'Wie?'

Het bleek dat Meredith vóór Dana in het hotel woonde. En zij is de 'opperheks' uit Annies verhalen.

'Dat geloof je toch niet?'

'Nou, jij misschien niet. Maar je staat er van te kijken hoeveel mensen erin trappen.'

Ze vertelde me ook over Maia. Dat is de vrouw die was weggegaan vlak voordat wij kwamen. Via Internet had ze van alles geleerd over hekserij, en ze kwam in het Coven Hotel wonen om het in het echt mee te maken. (Ik moet er nog steeds aan wennen: dat gepraat alsof hekserij de normaalste zaak van de wereld is. Een soort club waar iedereen lid van is – behalve ik dan.)

Het scheen dat Annie die Maia uiteindelijk helemaal gek had gemaakt met haar praatjes. Maia werd al net zo eng als zij en noemde Dana tenslotte zelfs Lilith, de vrouw van de duivel. En van de ene dag op de andere was Maia een *drop-out* geworden – zo noemen ze dat.

Ik vroeg wat er was gebeurd met Maia en Bonnie zei: 'O, ze is uit de kring gezet.'

Ik durfde niet verder te vragen, dus ik zei: 'Maar die Annie, is dat nou echt een heks of gewoon een getikt oud mensje?'

'Hm. Ik zal je iets laten zien waar je kippenvel van krijgt.'

We haalden de paarden en reden naar een oud kerkhof ergens achter het hotel. Merlijn ging ook mee. Er waren van die zerken en een of twee aangevreten beelden van heiligen. Ook staat er een klein grijs kerkje met een schuin dak, waarop aan de voor- en achterkant een wit kruis staat. Het heeft kleine raampjes waar je niet doorheen kunt kijken en de deur zit op slot.

'Kijk, Laura.'

Toen zag ik dat er bij een graf verse bloemen lagen.

En het was schoongemaakt – als enige.

En er stonden kaarsen.

'Van wie is dat graf? *Aidan Quinn, 1920-1994*. Wie is dat?'

'Quinn is de achternaam van Annie. We denken dat dit haar man is. Maar waarom ligt hij hier?'

Ik haalde mijn schouders op.

Merlijn zei: 'Je begrijpt het niet. In het dorp is ook een kerkhof. En in 1994 woonde Meredith hier nog. Waarom zou Annie haar man hier begraven als ze Meredith zo haat?'

'Misschien was hij een van de slachtoffers van Meredith?'

'Niet grappig, Laura.'

'Nou, dan was hij misschien gewoon verliefd op Meredith en wilde dicht bij haar in de buurt begraven worden.'

'Hebben we ook allemaal bedacht. Maar heb je wel gezien hoe oud hij was? Meredith was een hele mooie vrouw, net als Dana. Ze deed het echt niet met bejaarden, hoor.'

Het gekste van alles is: Merlijn en Bonnie hebben ontdekt dat er altijd verse bloemen en brandende kaarsen staan bij dit graf. Hoe kan dat? Annie komt nooit bij het Coven Hotel. Dat is vanaf de kroeg zeker drie kwartier lopen en dat kan ze helemaal niet, door die drassige weilanden en zo.

'Dus moet het wel zwarte magie zijn,' besloot Merlijn.

'Echt?'

'Ze heeft vast een of ander altaartje in de kelder van haar kroeg dat rechtstreeks in verbinding staat met dit graf. Kan niet anders.'

Terwijl we daar zo stonden te praten, werden de paarden steeds onrustiger. Ik liep naar Sparkling Vanilla en ze duwde met haar neus tegen mijn schouder. Net alsof ze me iets wilde vertellen.

– 9 juli –

Ik heb iets verzonnen: ik ga die Annie uithoren. Alleen. Ik ben geen vaste bewoner, dus ik ben niet besmet in haar ogen.

'Wat wil je bereiken?' vroeg Merlijn.

Ik zei maar wat. 'Kijken of er een plan zit achter al die... verdachtmakingen?'

Dat vonden ze allemaal een reuzegoed idee. Ook Brenna en Myristica en Morgana.

Het was heel gek. Ineens had ik de hoofdrol. Lijzige Laura was op wonderbaarlijke wijze veranderd in Leading

Laura, de spion die Annie zou ontmaskeren. Iedereen kijkt mij nu de hele tijd samenzweerderig aan.

Behalve Elvie. Ik geloof niet dat ze hier erg gelukkig is. Ze is vaak in de keuken, dan mag ze helpen koekjes bakken en zo. En als de klusjesman er is – Jeremiah – dan is ze daar. Want Jeremiah weet alles van elfen en kabouters. Papa let ook wel op Elvie. Als hij gaat vissen, neemt hij haar altijd mee. Maar dan zijn er verder natuurlijk allemaal grote mensen, geen kinderen van Elvies leeftijd.

Elvie vindt het kerkhof eng en dat oude kerkje al helemaal.

'Maar waarom dan?'

'Daarom.'

'Je bent toch best vaak in een kerk geweest? Kerken zijn niet eng.'

'Deze kerk wel.'

'Zo'n lief klein kerkje. Hoe kom je daar nou weer bij?'

'Dat hebben de elfen mij verteld.'

O ja, de elfen.

Er is nog iemand niet onder de indruk van mijn plan om Annie uit te horen. 'Pas maar op dat je haar niet per ongeluk gaat geloven,' zegt Ravi.

Lijzige Laura, zo noemt mijn moeder mij als ik de hele dag op de bank hang of achter de computer zit.

'Kom lekker mee wandelen,' zegt ze dan.

'Het regent.'

'Je bent toch niet van suiker?'(Echt zo'n mama-opmerking.) 'Ben ik een keer vrij, hangen mijn dochters de hele dag in pyjama rond. We kunnen ook naar het museum.'

'Ik wil wel mee wandelen,' zegt Elvie dan meestal.

O, mam, je zou ons nu eens moeten zien. Ik ben bruin en zelfs Elvie is minder witjes geworden. En we zijn de hele dag buiten!

– 10 juli –

Ik had bedacht vandaag maar meteen te beginnen met mijn spionnenwerk, dus ik reed op Sparkling Vanilla naar de kroeg van Annie.

Helaas had ik er niet op gerekend dat ik publiek zou hebben. Want wie zat daar en dronk rustig een biertje aan de bar alsof hij minstens zestien was?

'Ravi...' Ik schrok me een hoedje.

Ravi trok een wenkbrauw op. Ik ging een flink stuk van hem af zitten.

Annie kwam aangescharreld. Ze tuurde met haar kraaloogjes naar me. 'Nog steeds in dat hotel?' vroeg ze.

Ik knikte.

'Waar je zin in hebt.'

Ik haalde mijn schouders op. 'Het is maar voor de vakantie.'

'En je vader?'

'Wat is daarmee?'

'Nog niet gevallen voor die... die vrouw?'

Ik besloot meteen maar een tegenaanval in te zetten. 'O, je bedoelt net zoals Aidan.'

'Wie?' Haar ene mondhoek schoot omhoog.

'Aidan Quinn. Je weet wel, die daar bij het hotel begraven is.'

'Mijn Aidan?'

Ik grinnikte even naar Ravi, die vanuit zijn ooghoek alles in de gaten hield.

'Nou, mijn Aidan is het in ieder geval niet.'

Ik weet niet wat ik had verwacht, maar dit in elk geval niet: het gerimpelde gezichtje werd lijkbleek, de ogen puilden een beetje naar voren, en opeens stroomden de tranen over haar verlepte wangen.

Ik keek een beetje hulpeloos naar Ravi, maar die nam een slok van zijn bier.

Juist toen ik medelijden met die oude heks begon te krijgen, nam ze me in de houdgreep. Echt waar! Ze dook plotseling over de bar en greep mijn arm zo hard vast, dat er geen druppel bloed meer doorheen kon stromen. Heel eng. Veel te sterk voor zo'n oud mensje.

Ondertussen begon ze een brabbelverhaal dat ik maar half verstond. Het ging over *evil*, het kwaad, en haar dierbare Aidan die hopeloos verliefd was op de heks Meredith.

Ik huilde nu ook bijna, want ze deed me echt pijn. Bovendien was het doodeng. Ik zag die oogjes zonder oogwit van heel dichtbij. En ze gilde maar steeds dat ik weg moest gaan van al dat evil, nu het nog kon.

Het was Ravi die me bevrijdde.

Die arm wordt een enorme blauwe plek. Ik zie nu nog niets, maar dat kan niet anders.

– 11 juli –

Ik word gek van Ravi. Hij flirt met alle meisjes, ook met Brenna, de zus van Merlijn. Ook met Myristica en Morgana, de gothische tweeling.

Die zijn allemaal zestien!! Hij is veertien!!

Bonnie zegt dat ze vroeger verkering met hem heeft gehad, maar dat geloof ik niet. Ze zegt ook dat hij een keer na een feest bij Morgana is blijven slapen. En dat hij daarna ontzettend op zijn kop heeft gekregen en Morgana ook.

Dat geloof ik ook niet.

Gisteren, na mijn avontuur bij die enge Annie, had ik als troost een heel mooi jurkje van Bonnie geleend en Morgana had me opgemaakt. 's Avonds zat Ravi bij mij aan tafel en hij stuurde me de hele tijd bewonderende blikken. Onder tafel kwam zijn voet steeds tegen de mijne aan. Per ongeluk?

Dus de hele nacht kon ik bijna niet slapen van verliefdheid.

Maar vanmorgen bij het ontbijt zat hij bij Bonnie en zijn moeder en keek geen enkel moment mijn kant op. Wat moet ik daar nou weer van denken?

– 12 *juli* –

Ik had nooit naar Annie toe moeten gaan!

Ze heeft wraak genomen... en wel op een verschrikkelijke manier.

Toen ik vanmorgen wakker werd, hoorde ik allemaal stemmen buiten. Iemand riep: 'Laura, kom kijken!'

Ik ging gauw naar beneden. Er stond een groepje mensen op het gras voor het hotel.

Het was... gruwelijk, walgelijk, alsof ik nog droomde.

Het mooie hotel!

Op de witte muren waren met bloedrode verf afschuwelijke leuzen gekalkt. MURDER, stond er en SATAN. En allemaal pentagrammen, waarvan de verf was uitgelopen en helemaal naar beneden op de grond droop.

Sommige mensen huilden. Anderen waren verontwaardigd. Papa, die met me mee naar buiten was gekomen, was woedend. 'Schandelijk. Dit verwacht je in de stad, niet hier.'

Merlijn en Bonnie keken me veelbetekenend aan. Annie???

Ik voel me ellendig en ik zei zwakjes: 'We weten toch niet zeker dat zij het heeft gedaan?'

Maar Ravi zei dat ik maar eens goed naar die pentagrammen moest kijken. En toen zag ik dat ze op hun kop stonden – met de onderste twee punten naar boven. Dan betekent het schijnbaar iets heel anders.

'Niet zeggen.' Bonnie huiverde, maar Ravi zei het toch: 'Het symbool van de zwarte heksen. De duistere kant.'

Ik dacht aan mijn vader. Wist hij hiervan?

En Ravi fluisterde: 'Oude tekenen liegen nooit, Laura. Heb jij een duistere kant?'

Hij rook naar jongenszweet en naar leren jas en zijn vraag kietelde vreselijk in mijn oor.

Uiteindelijk kwam Dana. Ze huilde niet. Ze was niet eens boos.

'Daar heeft iemand zich enorm op uitgeleefd,' zei ze geamuseerd. 'Gelukkig was het toch de hoogste tijd voor een schoonmaakbeurt.'

Ze vroeg het aan mijn vader. Ik zag hem groeien. Hij heeft nog nooit een dweil of een spons in zijn handen gehad, maar dat mocht de pret niet drukken. Want hier kwam Dana's grote redder in vandalistische tijden. De uitverkoren lieveling die het hotel wel even zou verlossen van kwalijke leuzen en sterren.

Het is inmiddels een paar uur later en papa is nog steeds bezig.

- 14 juli -

Er zit niets anders op. Ik moet weer naar Annie. Merlijn zegt: 'We moeten weten of zij het was en wat ze nog meer van plan is.'

- 15 juli -

Zal je altijd zien. Wil ik streng overkomen, zodat Annie me deze keer wel alles vertelt, kan ik alleen maar verbaasd kijken. Ik heb namelijk samen met Bonnie mijn wenkbrauwen geëpileerd en dat is nogal mislukt. Gelukkig is Annie halfblind.

Ze zat buiten voor de kroeg op het bankje. Uit niks bleek dat ze mij had opgemerkt.

'Hallo Annie.'

'...'

'Mag ik naast je zitten?'

'...'

'Kan je misschien een beetje opschuiven? Wacht, het gaat al.'

Zo zaten we een tijdje als twee oude besjes naar de saaie weilanden te staren.

'Annie,' zei ik toen, 'er is iets heel naars gebeurd. Heb je al gehoord dat iemand het woord MURDER op het hotel heeft geschreven?'

Een knikje.

'Wie kan dat nou hebben gedaan?'

En toen vertelde ze. Heel rustig. Dat het *murder* was, wat ze haar *love* hadden aangedaan. Maar dat ze het nooit had kunnen bewijzen. Gelukkig was Meredith daarna zelf overleden. Dat zei ze een beetje onheilspellend en ik dacht meteen: heb jij haar soms vergiftigd?

'Maar toen kwam Dana,' zei Annie, 'en die was al net zo gevaarlijk als haar moeder.'

'Dana?'

'Gevaarlijker,' zei Annie onverstoorbaar, 'want zij doet het veel meer stiekem.'

'Wat doet ze stiekem? Mannen vermoorden?'

En toen zei Annie, zonder enige aanleiding: 'Je zou eens in de kerk moeten kijken.'

'Dat kleine kerkje bij ons kerkhof? Waarom?'

Maar Annie gaf geen antwoord meer. In plaats daarvan zong ze een of ander wiegeliedje.

En wat ik verder ook vroeg (Wanneer verzorg jij dat graf eigenlijk? Doe je het zelf? En wat weet jij van het bekladden van ons hotel? Zijn er mannen uit het dorp die jou helpen?) – er kwam geen zinnig woord meer uit.

'Bedankt voor niets,' zei ik uiteindelijk gefrustreerd.

Maar Annie grijnsde met haar mondhoek omhoog en zei: 'Ik heb je alles verteld.'

's Avonds

We aten lamsbout. Nooit eerder zoiets lekkers geproefd. Bij mama thuis hadden we meestal een vast schema. Maandag: Franse vleesschotel, dinsdag: stoomvis met Parijse wortels, woensdag slavink met aardappel, enzovoort. Tien minuten verwarmen, folie doorprikken zodat de stoom kan ontsnappen, maaltijd doorroeren alvorens te serveren. Mijn moeder heeft een giga-vrieskist vol luxe diepvriesmaaltijden.

Maar hier in het Coven Hotel zijn enorme tunnels van

doorzichtig plastic waar de groenten zomaar zelf onder groeien. En de lammetjes komen gewoon voorbijhuppelen.

Terwijl ik dus die lamsbout zat te eten en probeerde niet aan zo'n schattig lammetje te denken, vertelde ik Merlijn en Bonnie over Annie. Ik vroeg of ze wisten waar de sleutel van het kerkje was. Die bleek gewoon in de hal te hangen bij alle andere sleutels. Maar Merlijn zei dat we niet de kerk in mogen.

'Waarom niet?' vroeg ik en toen keek hij me onverwachts aan met de blauwste ogen die ik ooit heb gezien.

En hij zei: 'Het is een heilige plek. Alleen de leiding komt daar soms.'

Wat een ogen! Waarom heb ik dat niet eerder gemerkt? Ik mompelde iets onverstaanbaars en dacht alsmaar: niet blozen, alsjeblieft niet blozen, zelfs niet denken aan blozen.

Straks denkt hij nog dat ik verliefd op hem ben.

– 21 juli –

Over de Maan van de Roos

Ik had me er al dagen op verheugd: mijn eerste vollemaansfeest.

We aten buiten. Brian had een muziekinstallatie opgebouwd en na het eten gingen we dansen op het gras. Dat was leuk. Papa danste steeds met Dana en ik weer met Merlijn.

Tegen middernacht liepen we naar de kring van stenen. De heksenkring dus.

De maan was zo groot als een trampoline. Alsof het echt een soort God was (Godin).

En Dana was zo mooi! Ze had een lange zilvergrijze jurk aan dit keer, en los haar. Ze keek me aan... zo lief... ik moest bijna huilen.

Elvie trok aan mijn arm en ik glimlachte naar haar. Elvie was ook lief.

Dana vertelde dat de Zonnegod in deze tijd van het jaar heel erg verliefd is op de Maangodin, daarom heet deze volle maan de Maan van de Roos.

Toen ze dat zei keek ze even naar papa. Ik durfde niet te kijken hoe papa terugkeek.

Daarna was er een lang verhaal, waarin steeds het woord 'offer' terugkwam.

Ik begon net heel erg moe te worden, toen ze kleine witte papiertjes gingen uitdelen. Je kreeg een pen en je moest tien dingen opschrijven die heel belangrijk voor je waren.

We gingen op de grond zitten en begonnen te schrijven in het maanlicht. Alleen Dana stond.

Dit was mijn lijstje:

Papa, mama, Elvie, vriendinnen, lekker eten, vakantie, verliefd zijn, drop, paardrijden, stilte.

Toen ik klaar was, zat ik daar rustig naar de muziek te luisteren. Je hoorde alleen het gekras van de pennen en af en toe iemand die heel diep zuchtte.

Toen zei Dana: 'Streep nu twee dingen van je lijst, zodat je er nog acht overhoudt.'

Ik zette een streep door *drop* en toen ook maar door *paardrijden*. Ik hou van dit soort spelletjes.

En natuurlijk zei Dana toen dat je nog twee dingen moest doorstrepen en toen nog twee.

Bij mij stond toen nog: *papa, mama, Elvie, stilte*. Vooral dat 'stilte' was wel raar, dat had ik vroeger nooit gedacht.

Maar ik heb hier zulke uitgeruste oren gekregen! Mama zou tevreden over me zijn; die zegt bij elke boswandeling: ‘Luister eens goed, meisjes, hoe stil het hier is. Heerlijk hè?’ (Maar dan hoor je meestal ergens nog wel de snelweg. Of een kind dat huilt. Of een vogel.)

Ik streepte *stilte* weg.

Ik streepte *Elvie* weg, terwijl ik even schuldig opzij keek. Maar Elvie zat toch half te slapen op papa’s schoot.

Toen moest ik kiezen tussen *papa* en *mama* en dat kon ik natuurlijk niet.

Om mij heen zat nu iedereen te zuchten en te steunen. Er waren zelfs een paar mensen aan het huilen – dat vond ik wel een beetje overdreven.

Uiteindelijk zei Dana dat wat er op je lijstje stond kennelijk het allerbelangrijkste voor je was. Toen moesten we de briefjes verbranden in een vuurtje in het midden van de kring.

Ik vond het jammer om ze weg te gooien. Ik had die van anderen wel willen lezen, en over wat er stond op mijn eigen papiertje had ik wel met Dana willen praten.

In plaats daarvan moesten we, net als bij midzomernacht, hand in hand in de rondte lopen.

Ik moest zo verschrikkelijk aan mama denken... Hoe ze altijd een brief voor ons neerlegt op de keukentafel voor als we uit school komen (‘Meisjes! Papa blijft in atelier. Svp tafel dekken en eten in magnetron. Koekjes in trommel!’) Hoe ze ruikt naar buitenlucht en ziekenhuis als ze ons ’s avonds laat nog een nachtkus komt geven. Hoe keihard ze kan lachen. Dat vind ik vaak heel stom, maar nu miste ik juist dat lachen heel erg.

Ondertussen werd er van alles geroepen:

'Ik offer mijn luxe leventje op.'

'Ik offer Nederland op.'

('Ik offer hondenpoep op,' zei Ravi meteen, wat hem op een waarschuwende blik van zijn moeder kwam te staan.)

Maar ik dacht alleen maar aan een lachende mama, die elk jaar met Kerstmis dezelfde jurk aantrekt.

Toen gebeurde er iets HEEL RAARS. Mijn armen en benen begonnen te tintelen alsof ze sliepen en ik begon te rillen alsof ik koorts had.

Ik kneep heel hard in Bonnies hand.

Toen zag ik papa. Hij keek ook al zo benauwd en zijn gezicht was vuurrood. O jee, hij zou toch niet gaan huilen?

Net toen ik dacht ik MOET nu echt gaan zitten want ik ben kotsmisselijk, stopte de kring met rondlopen. Iedereen gooide zijn handen omhoog naar de maan. Dat zag er spookachtig uit.

En in de plotselinge stilte zei papa luid: 'Ik offer mijn huwelijk op.'

Ik liet met een klap mijn handen langs mijn lichaam vallen.

Maar Dana liep naar papa toe en legde haar handpalmen op zijn voorhoofd. Ze deed haar ogen dicht en papa ook. Het was een raar gezicht en Elvie keek er vol afschuw naar.

Betoverde Dana mijn vader?

'Wat doet ze met papa?' vroeg Elvie hard.

'DIT doet ze met papa,' zei Dana ineens en voor ik begreep wat er gebeurde, had ze haar handen op mijn voorhoofd gelegd. En die handen waren echt gloeiend heet!

Maar toen gebeurde er een wonder. Mijn benen werden weer sterk, mijn misselijkheid golfde weg en ik voelde me in één klap geweldig. Alsof je net een uur hebt paardgereden en daarna lekker lang gedoucht en schone kleren aan.

Dana liet me los en keek me onderzoekend aan. 'Dat viel mee voor een betovering, hè?' zei ze zacht met een ondeugende fonkeling in haar ogen.

De volgende dag

Wat is er gebeurd?

Merlijn zegt dat het heel normaal is dat je soms beroerd wordt in een kring. Dat heeft te maken met de maan. Als de maan vol is, worden de meeste kinderen geboren. En planten groeien twee keer zo hard. Dana vangt die maanenergie op met een onzichtbare antenne en heeft het daarna bij mij in goede banen geleid.

Zou dat het zijn?

Die vervelende jongen die hier ook woont, Artur, zegt dat ik gewoon moe was, omdat het midden in de nacht was en ik te lang rondjes had gelopen. 'Je laat je toch niet gek maken, Laura?' zei hij, en hij lachte naar me alsof we verkering hebben.

Ik laat me eerlijk gezegd liever gek maken door Merlijn dan door Artur.

– 23 juli –

Er is wel iets veranderd.

Angelica, de moeder van de tweeling, aait mij de hele dag over mijn hoofd.

Phoebe, de moeder van Bonnie, de strenge zakenvrouw, nodigt me uit aan haar tafel.

Bonnie moppert omdat Merlijn en Brenna steeds met mij willen paardrijden en zij dan niet mee kan (omdat ik op haar paard zit).

En het fijnste: Dana kijkt nu vaak naar me op een heel speciale manier.

Alleen Ravi is niet anders dan normaal.

Laatst had hij een fles wijn gepikt en hij gaf Bonnie en mij ook een glas. Ik dronk het heel snel leeg en hij vroeg: 'Dorst?'

Ik zei, tot mijn eigen verbazing, dat ik wel voor het eerst van mijn leven dronken wilde worden. Maar volgens Ravi moest je dan wel heel veel van die rozenbottelwijn drinken.

En toen zei ik zomaar: 'Misschien ben ik al dronken.'

'Dan moet je niet in mijn buurt blijven,' zei Ravi. Als grapje?

Hij keek me aan en toen zei hij: 'Die Laura. Die is zomaar gezegend door de hogepriesteres. Dat klinkt mooi, vind je niet? Misschien blijven jullie hier nu ook wel wonen.'

Ik keek hem sprakeloos aan, maar toen liep hij weg met zijn wijn.

En papa?

Papa zegt: 'Dana is een heel bijzondere vrouw. Ze helpt me bij het afscheid nemen van je moeder.'

Alsof mama dood is.

Hij probeert het uit te leggen met zinnen als: 'Ik moet afscheid nemen van alle dromen waar je moeder en ik samen in voorkomen.' Maar dat maakt het alleen maar erger.

Waarom vind ik het zo pijnlijk als hij over dit soort dingen praat?

Gedicht

De zon zendt al zijn stralen uit.
De bomen zitten vol met fruit.

De lucht is roze paars of blauw.
De wereld zegt: ik hou van jou.

– 24 juli –

Mama aan de telefoon. Die staat beneden naast de keuken.

Mama: 'Laura, ben je daar? Wat duurde dat lang.'

Ik (ga zitten op de granieten vloer): 'Ik moest helemaal van boven komen. Heb je mijn laatste kaartje gekregen?'

Mama: 'Ja, zo te horen heb je het heerlijk daar.'

Ik (haal diep adem om te beginnen met vertellen): '...'

Mama: 'Wanneer komen jullie terug?'

Ik: 'Wat?'

M: 'Wanneer komen jullie terug naar Nederland?'

Ik: 'Naar Nederland? Dat weet ik niet...'

M: 'Dat zouden jullie zo langzamerhand eens moeten beslissen.' (Mama-irritatie borrelt de telefoon in.) 'De school begint over een week.'

Ik: '...'

M: 'Je moet nog schriften kopen. En al je schoolboeken.'

Ik: '...'

M: 'Ik ben vandaag naar de boekwinkel gegaan met je lijst en heb alles besteld wat je nodig hebt. Je kunt het aan het einde van de week ophalen.'

Ik: 'Ben jij dan in Nederland?'

M: 'Ja, natuurlijk ben ik in Nederland, dat hadden we toch afgesproken? En jij zou er eigenlijk ook zijn.'

O, nee. Mama die speciaal voor mij en Elvie vrij heeft genomen. Die nu alleen op haar kleine flatje zit.

Ik (lief stemmetje): 'Mis je ons erg?'

M (nuchter als altijd): 'Ik heb genoeg te doen, maak je

geen zorgen, maar het bevalt me niet dat jij en papa doen alsof er geen school bestaat.'

Ik: 'We zijn gewoon op vakantie. En papa is sieraden aan het ontwerpen. Hele mooie sieraden trouwens.'

M: 'Prachtig. Vraag hem dan tussen al dat ontwerpen door of hij mij even belt, zodat we een en ander kunnen overleggen.'

Ik: 'Oké.'

M: 'Laura? Ik vind het leuk dat je weer aan het paardrijden bent. Dat moet prachtig zijn, zo daar buiten.'

Ik: '...'

– 25 juli –

Ik wil niet weg!!!

De hele dag al een brok in mijn keel. Ik snauw tegen Elvie en zelfs tegen Bonnie.

Het klopt niet om nu al weg te gaan. Ik heb nog maar twee feesten meegemaakt. Ik weet nog steeds niet of Ravi verliefd op me is. Papa is zo vrolijk. Het weer is veel te mooi. Sparkling Vanilla is net helemaal aan mij gewend. Ik ben Bonnies beste vriendin geworden (en dat stelt eerlijk gezegd meer voor dan mijn vriendinnen in Nederland, die trouwens toch naar een andere school gaan). Het 'complot van Annie' (tekst van Merlijn) is nog niet ontmanteld. Ik heb het gevoel dat Dana en ik elkaar nog van alles te zeggen hebben. Ik weet nog veel te weinig over hekserij. Ik wil niet naar het gymnasium – ook al weet ik heus wel dat ik dan een betere opleiding krijg dan bijvoorbeeld de kinderen hier, maar waarom zou ik? (Zodat ik fijn hartchirurg kan worden en mijn hele verdere leven alleen maar kan werken?) Ik wil niet in dat huis en mama in een flatje. Ik wil niet wennen aan weer een nieuwe au pair. Ik wil geen diepvrieseten. Ik wil niet naar die stinkstad.

IK WIL HET NIET!!!!

Middernacht

Een ramp!

Ik lag al in bed, maar ik kon niet slapen. Toen zag ik dat Elvie een voorraad havermoutkoekjes op haar nachtkastje had liggen. En ik bedacht dat ikzelf nog een zak drop had, die mama heeft opgestuurd. Ik kreeg een geweldig idee: een nachtpicknick bij Bonnie op de kamer. Vest gepakt, kaarsjes, koekjes, zachtjes over de kraakvloer. Kraakdeur. Kraaktrap.

Halverwege de trap zag ik het. Op de gang voor Bonnies kamer.

Eigenlijk zag ik alleen een massa blond haar. De rest verdween in de leren jas, de o zo bekende leren jas, die om en over haar heen viel, zo heftig was hun omhelzing.

Ik durfde geen beweging meer te maken, maar Ravi zag me toch.

Terwijl hij Bonnie over haar rug aaide, keek hij me aan. Recht in mijn ogen. En het ergste: hij lachte. Nu ik het opschrijf, word ik weer woedend.

Ik sloot mijn ogen. Dit gebeurt niet, dit gebeurt NIET.

Gefluister, een deur werd iets te hard gesloten. Stilte.

Hoeveel eindeloze minuten stond ik daar met mijn koekjes en mijn kaarsjes?

Na een hele lange tijd kwam er een stem: 'Laura? Kom eens hier.'

Het was Dana en ze zat in de bibliotheek. Met twee koppen thee voor zich. Ik wilde natuurlijk het liefst keihard weglopen, maar dat kon al niet meer. Dus ging ik zitten, terwijl ik alsmaar dacht: nu niet huilen, alsjeblieft niet huilen.

'Is dit drama om Ravi?' vroeg Dana.

'Hoe weet je dat? Ben jij soms helderziend?'

'Uiteraard,' zei Dana geamuseerd, 'maar los daarvan zag ik zag hem net uit Bonnies kamer komen. Veel te laat overigens.'

Ik keek natuurlijk meteen om, maar Ravi was al zijn eigen kamer in geglipt.

Heksenthee had ze – dat is gewone zwarte thee met amandel en anijs erin.

Terwijl we dat opdronken en Elvies koekjes opaten (toch nog een nachtpicknick), zei Dana allemaal fijne, geruststellende dingen over Ravi. Dat het allemaal weinig voorstelt. Dat hij nou eenmaal een versierder is. En dat hij morgen Bonnie waarschijnlijk al niet eens meer ziet staan.

Ik zei: 'En Bonnie dan? Ze is mijn vriendin.'

Maar toen zei Dana fijntjes: 'In haar plaats had jij precies hetzelfde gedaan.'

Ze zag er klein uit in de grote stoel, haar benen onder zich gevouwen. Klein en moe. En ze droeg een zandkleurig linnen pak.

Ik zei stoer dat het me niks kon schelen, omdat ik toch dit weekend terugga naar Nederland.

Dana keek me ineens aan op de Dana-manier. Dat is alsof ze dwars door je heen kijkt en op zoek is naar iets. Ik kreeg de neiging achter me te kijken of er misschien iemand anders stond voor wie die blik was bedoeld.

Ze vroeg of dat was wat ik echt wilde, terug naar Nederland.

Alsof dat er iets toe doet.

Maar toen begon Dana een heel verhaal over mij. Dat het haar was opgevallen dat ik erg goed kan luisteren. Ze zei iets als: 'Als we buiten zijn, kijk jij altijd op als er een vogel zingt, en waarschijnlijk herken je ze ook allemaal. Lawaai vind je verschrikkelijk, vooral allemaal verschillende geluiden door elkaar, en je houdt van stilte. Echte stilte.'

Ik was verbaasd. Kennelijk had deze prachtige, belangrijke vrouw mij stiekem zitten te observeren. Waarom?

Ze zei ook nog: 'Je hebt een mooie stem. Kun je zingen?'

Ik haalde mijn schouders op, maar ze kreeg ineens een idee. Morgenochtend moet ik om kwart voor zes naar de heksenkring komen. Dan hoor ik meer.

En nu lig ik weer in mijn bed met een klotsbuik van de thee bij het licht van een kaarsje te schrijven.

Ik ben nog steeds boos op Bonnie en Ravi, maar ik ben ook enorm nieuwsgierig. Wat heeft Dana voor plan? Kwart voor zes! Ik hoop maar dat ik me niet verslaap.

– 26 juli –

En wat was het?

We hebben gezongen. Echt waar. Vage liedjes in een taal die ik niet begrijp.

Maar het was... geweldig!

De hele leiding was er: Dana en Phoebe, de moeder van Bonnie. En dikke Angelica, die zo lief is. En ook Lugh (spreek uit: Loe), dat is een oude man die zichzelf een druïde noemt. Hij ziet er in ieder geval zo uit: met een baard en een jurk. Bonnie zegt dat hij heel goed dromen kan uitleggen.

Ik merkte dat ze vaker in de kring samenkomen bij zonsopgang. Lugh, Angelica en Phoebe staarden mij nieuwsgierig aan, maar Dana zei niks. Die was in de weer met wierook en kaarsen.

Toen deden ze hun ogen dicht en Dana vroeg om hulp voor mij.

Wat voor hulp? Ik voelde me nogal ongemakkelijk en bovendien had ik het koud.

Maar toen begon het zingen. Een of ander oeroud lied, met woorden die zich herhaalden en herhaalden en herhaalden. Heel hypnotiserend. Maar ook heel mooi!

Op een gegeven moment duwde Dana me naar voren en toen begon ik mee te zingen. Iets als '*Hiri, hiro.*' We zongen tweestemmig, driestemmig, vierstemmig. Vooral Dana en Lugh kunnen echt heel mooi zingen. Ik werd helemaal meegesleept.

Ik heb geen idee hoe lang het duurde, maar toen ik mijn ogen opendeed, was de zon op. En iedereen lachte naar me.
'Je bent een echte zangeres,' zei Angelica verrast.

'Knap hoor,' zei Bonnies moeder.

Dana zei iets over de Godin en toen zei iedereen: '*Blessed be.*' Ik ook, het is een soort heksen-gelukswens, geloof ik.

Daarna vroeg Dana, net als gisteravond: 'Laura, wat wil je?'

Maar nu begreep ik wat ze bedoelde. Ik was zo blij en licht in mijn hoofd van het zingen en de zon, dat het me allemaal niks meer kon schelen, dus ik zei: 'Ik wil in het hotel blijven en heks worden.'

Het werd doodstil en ik schrok. Had ik dat niet mogen zeggen?

Maar toen zei Dana: 'Gelukkig maar. Je vader heeft gisteren precies dezelfde wens uitgesproken.'

Het schijnt dat je het altijd zelf moet vragen.

Ik rende de hele weg terug naar het hotel.

Bonnie was nog aan het ontbijten. Iets verderop zaten papa en Elvie. Papa keek meteen op.

Bonnie zag er verlept uit, alle sterretjes waren uit. Ze reageerde amper toen ik haar vertelde hoe mooi en bijzonder het was geweest om te zingen bij zonsopkomst.

En ineens zei ze plompverloren: 'Je hebt ons gezien.'

De Ravi-omhelzing! Ik was het echt bijna vergeten. Eerst werd ik weer boos, maar toen zei ik gauw: 'Ach, je weet hoe Ravi is. Vandaag is hij je alweer vergeten.'

Bonnie zei niks.

'Wat kan mij Ravi schelen,' zei ik, en het blije gevoel kwam in alle hevigheid terug. 'Bonnie, gisteren heeft papa het gevraagd aan Dana. We worden bewoners van het Coven Hotel. Ik word een heks, net als jij.'

Het was een wonder om te zien hoe snel Bonnie weer Bonnie werd. Ze ging rechtop zitten, gooide daarbij haar thee om, trok zich daar niks van aan maar stortte zich met een soort indianenkreet op me.

'En jij wist het al die tijd!' gilde ze tegen papa.

Papa zei, schaapachtig lachend, dat hij wilde dat ik het haar zelf zou vertellen.

Maar Elvie schrok zich een hoedje. Ze zei gauw: 'Ik ga morgen terug naar mijn juffie.'

We zeiden dat ze een nieuwe juffie kreeg.

'Elviepop mist haar eigen bedje.'

We zeiden dat we een nieuw bedje zouden maken – met stro van de paarden erin. Maar Elvie smeet haar pop op de grond en gilde: 'Ik vind het hier NIET LEUK.'

'Ach gossie,' zei Bonnie. Ik begon ook bijna te huilen.

Papa zei: 'Soms is het leven niet leuk, Elvie. Je went er wel aan.'

Ik staarde hem aan en zag een gevoelloos monster. Of was het uit lafheid dat papa niet eens naar zijn kleine meisje durfde te kijken?

Arme Elvie.

Mijn eigen hart bonst keihard terwijl ik dit schrijf. Mijn hele leven staat op zijn kop. Ik mag hier blijven. Bij Dana, bij Bonnie, bij de paarden. IK MAG HIER BLIJVEN!!!!!

– 27 juli –

Nog nooit heb ik mijn moeder zo meegemaakt. Ze gooide haar woorden één voor één door de telefoon. 'Zomaar! Wegblijven! Zonder! Overleg! Hoe Durven Jullie!'

Ik: 'We wisten toch niet van tevoren hoe fijn het hier zou zijn... Jij vindt Ierland toch ook mooi?'

Mama: 'Nou en? Dan kom je eerst terug, praat er over met iedereen die bij deze beslissing betrokken is, onderzoekt alle mogelijkheden. En dan kan je altijd alsnog gaan.'

Ik: 'Maar we willen nu blijven. Wat heeft het voor zin om drie maanden naar een school te gaan, om dan alsnog te verhuizen? Nu kan ik volgende week, als de vakantie voorbij is, hier meteen in het klasje beginnen.'

Mama (begint weer te schreeuwen): 'Nog! Zoiets! Hebben we een fantastische school voor je uitgezocht. Een school met unieke mogelijkheden, die helemaal bij je past. En dan ga jij les nemen bij een of ander thuisklasje van een vrouw die zelf amper van school is.'

Laura: 'Mama, die school in Nederland hadden *wij* niet

uitgezocht; die school had *jij* uitgezocht.'

Mama: 'Je toon bevalt me helemaal niet. Ik had je school uitgezocht omdat ik je moeder ben en weet wat het beste voor je is, in ieder geval op het gebied van opleidingen. Je bent pas twaalf, Laura.'

En zo ging het gesprek nog minutenlang door. Ik stond al die tijd zwetend en met buikpijn van ellende in de gang voor de keuken. Het werd nog een heel drama.

Mama zei: 'Het ergste vind ik nog, dat jullie mij niets hebben gevraagd. Ik ben jullie moeder, Laura, ik laat mijn dochters niet zomaar naar een ander land vertrekken.'

Toen heb ik het gezegd. Het allerergste.

'Dat maakt toch geen verschil.'

'Natuurlijk wel.'

'Natuurlijk niet. Je bent er nooit. En trouwens, je wilde toch al niet meer bij ons wonen. Jij bent als eerste weggegaan.'

Het was ineens helemaal stil aan de andere kant van de telefoon. Ik dacht dat mama uit pure woede de verbinding had verbroken, maar toen hoorde ik het. Ze huilde.

'Mama?'

Stilte. Een neus werd gesnoten. Toen zei ze: 'Ik kom naar jullie toe. Nu.'

Hoe zal dat aflopen?

– 28 juli –

Mama komt niet. Ze heeft te veel werk. En als je als hartchirurg een operatie afzegt, dan gaat er iemand dood.

Papa heeft heel lang met haar gepraat. Hij vliegt morgen

naar Londen. Daar is mama dan ook, op doorreis. Volgens papa komen ze er wel uit. Het is eigenlijk al wel duidelijk dat we blijven. We worden op 1 augustus, tijdens het oogstfeest, officieel ingewijd – wat dat ook mag betekenen. Dat is al over vijf dagen!

Ik ben zo verdrietig om mama.

Iedereen is gelukkig heel lief voor me. Ik mag de hele tijd op Vanilla rijden en de kok heeft een bramentaart gebakken, omdat ik zo van bramen houd.

En overmorgen gaan we zwemmen in een meertje verderop. Het is nog steeds bloedheet.

– 29 juli –

Papa is terug uit Londen. Ik hoorde hem de kamer binnensluipen en toen kwam hij op mijn bed zitten.

We gaan dus definitief niet terug. Mama wilde dat wel, maar ze heeft echt geen tijd om voor mij en Elvie te zorgen. Dan zou ze ander werk moeten hebben. En uiteindelijk wil ze toch liever dat papa bij ons is dan een of andere au pair.

'Kan ze niet hier komen werken, in Ierland?'

Nee, dat kon niet. Maar in de herfstvakantie zou mama zorgen dat ze vrij was en dat was al heel gauw. Dan konden Elvie en ik naar haar toe om te bespreken hoe het verder ging.

'Heeft ze soms een andere man?' vroeg ik. Maar papa schudde zijn hoofd. 'Je moeder? Die is getrouwd met haar werk.'

'Wat is er dan gebeurd op dat congres?'

Papa keek een beetje betrapt. 'Eh... ze kwam een klant

van me tegen. Een vrouw bij wie ik alle familiesieraden heb gerestaureerd.'

'Kende je die vrouw goed?'

'Nou, ze had heel veel sieraden.'

Ik hoefde de details niet te horen. 'Ik ben toch veel liever hier dan in Nederland,' zei ik snel.

Papa aaide me even over mijn hoofd. 'Dat weet mama ook. Daarom heeft ze ook toegestemd.'

Zo zat ik daar heel volwassen met papa te praten.

Maar toen papa weer weg was, was daar niks meer van over. Plotseling was mijn bed zo leeg en de kamer zo groot en stil. Ik durfde geen geluid te maken, want anders zou Elvie wakker worden.

Maar in die stilte moest ik ineens zo verschrikkelijk huilen. Mijn kussen werd helemaal kletsnat.

– 30 juli –

(onthoud deze datum)

Jeremiah, de klusjesman van het hotel, woont aan een meer. Hij had ons uitgenodigd om een dagje bij hem te komen zwemmen. We zaten met z'n zessen achter in zijn bestelbusje: Myristica en Morgana, Brenna en Merlijn, Elvie en ik. (Bonnie had op het laatste moment besloten dat ze liever ging paardrijden met haar moeder, en Ravi was met zijn broer aan het vissen.)

De auto draaide een klein, hobbelig bospaadje in.

'Welkom in het paradijs,' zei Jeremiah.

Nou ja, paradijs... In wat misschien ooit een tuin was geweest, stond het gras hoog en vol brandnetels. Overal lagen autobanden, oude stukken hout en brokken steen.

Het huis zelf leek op een woonwagen. Het was gemaakt van hout, dat behoorlijk verweerd was. Maar dat viel bijna niet op, omdat het helemaal bedekt was met klimop of zoiets.

De andere meisjes renden richting water, maar Elvie en ik wilden eerst binnen kijken.

Twee kamers, dat was alles, beide met een enorme open haard vol houtblokken erin. Een tafel, een stoel en een bed. Een gasstel met een grote koperen ketel erop. En overal boeken, kranten, halfbeschreven vellen papier, zelfs vergeelde reclamefolders.

Merlijn kwam bij ons staan en zei: 'Dit is het beste huis dat ik ken. Het is er droog, warm en veilig, net een tent. Vind je niet, Elvie?'

Elvie zei niks. Dat doet ze de laatste tijd opvallend vaak.

Merlijn probeerde nog: 'De konijntjes wandelen zo naar binnen. En je hoeft nooit op te ruimen.'

Elvie zei nog steeds niks, maar ze keek wel om zich heen. Waarschijnlijk speurde ze naar konijntjes.

Ik vroeg of ze mee ging zwemmen, maar ze wilde bij Jeremiah blijven. Jeremiah vond het prima; dan had hij tenminste iemand om zijn verhalen aan te vertellen, zei hij.

Dus gingen Merlijn en ik samen.

Hij trok me mee het bos in. Ik hield mijn adem in. Niet om dat bos, dat wild was en geheimzinnig, maar om ZIJN HAND IN DE MIJNE.

Merlijn was anders daar. Zorgelozer, roekelozer. Zijn ogen waren extra blauw in de zon – als dat nog kan tenminste. Zijn lange haar hing rommelig op zijn schouders. Ik vroeg me steeds af of hij ook de vonkjes tussen onze handen voelde knetteren.

Op een klein strandje lag een houten bootje en daar lagen

Myristica, Morgana en Brenna te zonnen. Zonder iets tegen hen te zeggen doken Merlijn en ik in het water (gelukkig had ik mijn bikini al aan onder mijn jurk).

We zwommen helemaal naar de overkant en daar ploften we naast elkaar in het gras.

Het was nogal ongemakkelijk. De stem van Merlijn sloeg steeds over als hij iets zei. En ik werd natuurlijk hoe langer hoe roder, totdat ik dacht dat ik zou ontploffen.

We hadden het eerst een tijdje over Elvie. Ik zei dat ze mama mist, maar dat dat thuis niet anders is.

'Dus daarom kijkt ze zo ernstig,' zei Merlijn, 'en ze is nog wel zo'n mooi meisje.'

'Dat zegt iedereen altijd. Dat komt door dat haar.'

Maar toen zei Merlijn dat mijn haar ook mooi was. Ik moest erg lachen, maar hij bleef erbij. 'Het heeft de kleur van honing,' zei hij. Echt waar! Zoiets leuks heeft nog nooit iemand over mijn haar gezegd.

Ik begon gauw over iets anders. Dat papa en ik dit weekend bijles krijgen van juf Fiona om ons voor te bereiden op de inwijding. En dat volgende week de school begint en dat ik dan eindelijk alles ga leren over hekserij.

Merlijn lachte en zei dat de belangrijkste feesten nog moeten komen. Keltisch nieuwjaar bijvoorbeeld. Dat valt samen met Halloween.

Ik zei iets als: 'Dat lijkt me spannend' en Merlijn zei dat dit jaar nog spannender zou zijn dan anders. Ik vroeg waarom en toen werd hij ineens heel ernstig.

Hij boog zich naar me toe en zei: 'Omdat jij erbij bent natuurlijk.'

En toen en toen en toen... zoende hij me! Op mijn mond. Hééél zacht.

Meteen daarna sprong hij op en gilde: 'Wie het eerst weer aan de overkant is.'

Ik rende achter hem aan, enorm blij dat ik meteen onder water kon duiken.

Later vertelde Jeremiah nog een verhaal (zie volgende bladzijde). Ik probeerde echt te luisteren, maar ik moest steeds naar Merlijn kijken. Af en toe keek hij ook naar mij en dan was ik zo bang dat ik zou gaan blozen en dat iedereen het zou zien.

Steeds dacht ik: was die kus wat ik dacht dat het was? Of was het een vergissing?

Na het verhaal gingen we varen op het meer en er waren aldoor anderen bij. Maar toen ik uit de boot stapte, raakte Merlijn heel even mijn hand aan en fluisterde: 'Jij kunt vast ook de zon oproepen en de maan, en de hemel volstrooien met schitterende sterren.'

Het was dus geen vergissing!

HET VERHAAL VAN DE HEKS BUIG FLUISTER HUIVER

(een oud Keltisch verhaal)

Er was eens... een beeldschone heks met de rare naam Buig Fluister Huiver. Het was de tijd van de heksenverbrandingen en BFH was boos omdat de elfen en de heksen werden verdreven door de christelijke koning. Dus ze besloot wraak te nemen. En hoe deed ze dat? Ze verleidde de koning! Omdat de heks heel mooi was, lukte dat en de koning nam haar op in zijn paleis.

'Je bent zo machtig,' zei de koning tegen haar, 'vertel me wat je allemaal kan.'

En BFH antwoordde: 'Ik kan de zon oproepen en de maan. Ik kan de hemel volstrooien met schitterende sterren van de nacht. Ik kan mannen die in de strijd gesneuveld zijn weer tot leven roepen. Ik kan water in wijn veranderen en stenen in schapen. Ik kan goud en zilver maken.'
'Laat mij iets zien,' zei de koning en BFH maakte van water een magische wijn, die zij samen opdronken. En zij waren de hele nacht samen als geliefden...
Maar de wijn had de koning betoverd en ondertussen ging BFH door het hele paleis heen en zette brandende fakkels en toortsen neer.
Toen riep zij de winden aan.
De koning zei in zijn slaap: 'Hoor, daar fluistert de wind, ik buig en huiver.'
De heks kreeg tranen in haar ogen omdat hij haar naam had gezegd.
Maar daarop brandde het paleis af en de koning stierf – niet in de oorlog of in een moedig gevecht, maar smadelijk overvallen door het vuur.
Niet veel later is er een beeldschone vrouw gezien op het koningsgraf. Zij huilde bittere tranen. 'Ik hield van deze man en hij hield van mij,' kon men haar horen zeggen, 'maar hij heeft mijn heksenzusters verjaagd en gedood. Helaas. Onze liefde kon niet bestaan.'

– 31 juli 's ochtends –

Iedereen weet het van mij en Merlijn; geen idee wie het heeft doorgebriefd.

Bonnie moest lachen, die is volgens mij vooral opgelucht dat we niet meer allebei achter Ravi aanlopen. Terwijl Ravi mij juist met meer interesse bekijkt – maar misschien verbeeld ik me dat maar.

Ondertussen heb ik amper tijd om Merlijn te zien, want ik krijg het hele weekend heksenles van juf Fiona. Bij de inwijding moet ik antwoord geven op allerlei vragen, zoals: 'Wat is de wet van drie?' (Daarmee bedoelen ze dat alles wat je doet, het goede maar ook het kwade, drie keer zo sterk bij je terugkomt. Wel een spannende gedachte, toch?)

Verder mogen papa en ik tot aan de inwijding niet eten, alleen maar drinken, en moeten we witte kleren dragen. Zo wit als een onbeschreven blad.

's Avonds (na een dag heksenles)

Hoe word je een heks (m/v)?

Om te beginnen: heel veel leren. Zelfs de leiding studeert nog. Zelfs Dana.

Straks krijg ik op school een vak dat ze op z'n Engels *Moon School* noemen. Altijd het laatste uur.

Dan leren we (je raadt het al) van alles over de maan. Verder leren we bij Moon School over geneeskrachtige kruiden en planten. Zoals: lavendel helpt tegen hoofdpijn en sintjanskruid maakt je onvermoeibaar. En we leren over magie: hoe je iets voor elkaar kunt krijgen, puur door je wil. Dat is moeilijk, maar het kan. Dana kan het.

Hekserij is een geloof.

Heksen geloven in de Maangodin.

Daarom vieren ze alle volle manen. Elke volle maan heeft een eigen naam en betekenis. De eerstvolgende heet De Maan van het Weerlicht.

Daarnaast zijn er nog de jaarfeesten. Dat zijn:
- het begin van de lente, zomer, herfst en winter
- nieuwjaar /Halloween (begint op 1 november)
- het zaaifeest en het oogstfeest

en dan nog een feest dat ze vroeger Walpurgisnacht noemden, maar dat is pas in mei.

De feesten vier je in een heksenkring.

Morgen, bij onze inwijding, is het oogstfeest, wat ze ook wel het feest van de Zonnegod noemen. De kracht van de Zonnegod is overgegaan in het graan. En nu wordt het graan geoogst en vloeit zijn bloed terug naar de aarde.

Het oogstfeest is een vuurfeest. En een dankfeest. Doordat je graan kunt oogsten, kan je brood bakken en heb je te eten.

- 1 augustus -

Over de Inwijding

Het leek alsof ik jarig was. Veel te vroeg wakker met vlinders in mijn buik (en honger!).

Maar pas in de middag werden papa en ik opgeroepen voor ons heksenexamen. We zaten tegenover de leiding en moesten vragen beantwoorden als: 'Wat zijn de acht belangrijkste waarden voor een heks?' (Dat zijn: kennis, waarheid, kracht, liefde, eer, respect, toewijding en magische wil.)

Toen het avond werd, moesten we met een blinddoek om in de kring gaan staan. Elvie, die sowieso te klein is voor een officiële inwijding, wilde daar per se niet bij zijn.

Het was ook best eng, want we kregen een mes tegen ons voorhoofd, dus moesten we roerloos blijven staan. Dana vroeg streng: 'Waarom zou ik jullie toelaten? Wie zegt me dat jullie ons waardig zijn?'

Het was de bedoeling dat we daarop antwoordden met een wachtwoord: '*Het kind van de maan.*'

Toen zei iedereen vier keer:

'Aarde ons lichaam
Water ons bloed
Lucht onze adem
Vuur onze geest.'

Ze deden iets nats op ons hoofd. Ik geloof dat het wijn was. Het droop in de blinddoek, heel vies.

En daarna begonnen ze allemaal tegen ons aan te duwen. Dat was niet prettig, want we hadden nog steeds die blinddoeken om. Gelukkig vielen ze na een tijdje af en toen knoopte Dana een veter om mijn nek met een sierlijke hanger van een pentagram. Ze keek naar me zoals een moeder naar haar dochter en ze zei: 'Welkom in het Coven Hotel, Laura. Ik ben zo blij dat je er bent. Eindelijk.'

Eindelijk? Dat woord bleef als een wolkje in de lucht hangen terwijl Dana, nu iets luider, zei: 'Je kunt blijven zolang je wilt, maar weggaan kan nu niet meer. Eens een heks, altijd een heks!'

Een enorm gejuich volgde op haar woorden. Ik lachte, maar ik dacht tegelijk: Waar heb ik die woorden eerder gehoord? Waar doet het me aan denken?

Vervolgens moesten papa en ik allebei een geschenk geven. Papa had een koperen heksenketel gemaakt. Ik vond het nogal kinderachtig, maar het schijnt dat ze soms echt van die ketels gebruiken.

Mijn 'geschenk' was een Keltisch lied dat ik had ingestudeerd. Ik had mijn ogen dicht en toen ik ze opendeed, zag ik dat allemaal mensen huilden. Dana lachte en Bonnie was jaloers. Maar het leukste was dat papa zo trots was. Hij zei de hele tijd: 'Dit is mijn dochter. Hebben jullie het gehoord? Mijn dochter.'

En daarna: feest!!! Met binnen en buiten muziek en eindelijk eten.

Iedereen lachte en omhelsde me, nog steeds alsof ik jarig was. Ook wilden ze allemaal met mij dansen. Ook Ravi (die je niet aankijkt als hij met je danst). En helaas ook die vervelende Artur. Hoewel ik me steeds wegdraaide, stond hij toch ineens pal voor me op de dansvloer. Veel te dichtbij, ik kon zijn vieze haargel ruiken. Of was het iets anders?

'Mooi gezongen,' slijmde hij. Toen ik geen antwoord gaf, begon hij over Dana. Dat zij pas echt een mooie stem heeft en als kind zelfs op tv heeft gezongen. Toevallig had ik dat al van Bonnie gehoord, dus ik knikte alleen maar en deed alsof ik enorm verdiept was in mijn solo-dans. Artur deed zijn best om net zo te bewegen als ik; het was gewoon zielig.

Ondertussen kletste hij maar door over Dana. Ik verstond de helft niet, maar het ging nog steeds over dat zingen en dat haar vader optrad als een enorm fanatieke manager.

Ineens pakte hij mijn hand en probeerde mij om mijn as te zwieren, wat totaal mislukte omdat hij een half hoofd kleiner is dan ik. Toen ik zo tegen hem aan gesleurd werd, fluisterde hij iets in mijn oor. Het klonk als: 'Volgens mijn vader is het toen begonnen.'

'Wat?' vroeg ik.

En hij zei triomfantelijk: 'Dana's mannenhaat.'

Dat was zo idioot dat ik in de lach schoot. Artur kletste maar door (de naam Annie viel zelfs), maar ik had er inmiddels schoon genoeg van. Gelukkig dook Merlijn op en ik danste snel met hem weg, Artur midden in de dans en midden in zijn verhaal achterlatend.

'Trut!' riep hij nog.

Toen het feest was afgelopen, bracht Merlijn me naar mijn kamer.

Ik weet niet hoe lang we daar stonden te zoenen en te lachen en te zoenen. Zo vies als Artur ruikt, zo lekker ruikt Merlijn: naar kampvuur en shampoo en ook een beetje naar de gedroogde bloemenmengsels die zijn moeder altijd maakt.

Terwijl we daar zo stonden trok er een stoet van dronken mensen voorbij, op weg naar hun bed. De kok was heel hard en vals aan het zingen. Toen hij ons zag, barstte hij uit in een jubelend: '*First love, first kiss, what a feeling it is...*'

Even later kwam Ravi, die alleen maar liep te vloeken.

Tenslotte klonken er lichte stappen op de trap. Merlijn en ik keken allebei op. Het was Dana zelf, klein en bleek, maar nog steeds stijlvol. Ze glimlachte naar ons in het voorbijgaan en zei: 'Jullie zijn een mooi stel.'

Nu ben ik een heks.

Boek der Schaduwen

– 3 augustus –

Het is helemaal niet kinderachtig om een dagboek te hebben. Alle heksen hebben een dagboek! Alleen heet het bij hen *Boek der Schaduwen*. Daarin schrijf je niet alleen op wat je meemaakt, maar ook dromen of nieuwe spreuken en andere heksen-wetenswaardigheden die je hebt geleerd. Zoals:

Zout is het symbool voor de aarde.
Wierook is het symbool voor lucht.
Vuur staat voor succes en hartstocht.
Water is voor liefde, schoonheid en genezing.

– 7 augustus –

De hele dag paardgereden met Merlijn. Zijn haren zijn net manen in de wind. En ooooo! de manier waarop hij naar mij kijkt als hij naast mij rijdt. Onderzoekend, uitdagend. Zodat we steeds harder gaan en harder en harder. Merlijn kan heel goed paardrijden, veel beter dan ik.

Af en toe stoppen we even. Geen mens te zien, geen huis, geen weg, geen koe zelfs. We zijn alleen op de wereld.

Zelfs mama verdwijnt uit mijn gedachten.

We stijgen gauw weer op. Het is een beetje eng om met z'n tweeën zo helemaal alleen te zijn.

– 12 augustus –

Het was een heel rare dag.

Dana hield een 'meditatie' voor de volwassenen. Bonnie en ik zouden Annie gaan bespioneren. Ik moest het alleen nog even tegen Elvie zeggen. Maar dat zal je altijd zien: Elvie was nergens te bekennen.

Niet in haar kamer.

Niet op de veranda.

Niet in de keuken. Daar liep alleen een jammerende kok rond. Heb ik al verteld hoe hij heet? Kermit! Het schijnt hier een doodgewone naam te zijn, maar ik moet er nog steeds om lachen.

Kermit was helemaal van slag om zijn 'abrikozensoufleetjes'. Die moesten uit de oven gehaald, maar de meditatie was nog niet afgelopen. Terwijl we daar stonden, zakte de ene na de andere soufflé in elkaar en Kermit zelf ook.

Maar... geen Elvie.

We liepen de keuken uit en toen zag ik ineens iets waar ik kippenvel van kreeg: Elviepop lag naast de telefoon! Het is heel raar dat Elvie op pad gaat zonder haar pop. Ik raakte meteen in paniek.

'Bonnie, we moeten NU mijn vader uit de meditatie halen.'

'Je mag ze alleen storen bij een noodgeval.'

'Dit IS een noodgeval.'

Op datzelfde moment ging de telefoon. Het geluid schalde door de hoge gang en Bonnie en ik schrokken ons een hoedje. Bonnie nam op en gaf toen de telefoon aan mij. 'Je moeder.'

'Hallo mam.' Ik trok een paniekgezicht naar Bonnie – als

mama maar niet Elvie aan de telefoon wilde hebben!

'Ja, nee, ik ben net klaar met school. Ja, het gaat heel goed.'

Bonnie staarde me aan en moest niet eens lachen toen ik uitgebreid over school begon te vertellen en over hoe geweldig juf Fiona was.

Maar mama liet me niet uitpraten. Ze was vreselijk opgewonden want ze had het Coven Hotel opgezocht op internet en was terechtgekomen bij de site pasopvoorzwartemagie.nl. Daar werd gesproken over 'vreemde rituelen' en 'hersenspoeling' bij onder andere het Coven Hotel in Ierland.

'Hersenspoeling?' herhaalde ik verbaasd.

Bonnie keek me aan en ik pakte een pen die naast de telefoon lag en schreef het webadres op.

Bonnie fronste even haar wenkbrauwen. Toen knikte ze.

Ik schreef een vraagteken op, terwijl mama nog steeds doorpraatte.

'Maia's site. Die vrouw die uit de kring is gezet vlak voor jullie hier kwamen,' fluisterde Bonnie. Ze trok een ook-dat-nog gezicht.

Ik stond daar maar te zweten en Bonnie stond naast me zachtjes te schelden op die stomme drop-out van een Maia. Tegen mama mompelde ik iets over oude Keltische feesten. Als ik mama over hekserij zou vertellen, zou ze me óf keihard uitlachen, óf heel erg boos worden.

Uiteindelijk kalmeerde ze wel, toen ik zei dat ik heus niet gek was. Ze zuchtte een paar keer en zei: 'Dat weet ik. Ik moet op jou vertrouwen.'

Maar het werd nog raarder. Bonnie en ik gingen bij de

moestuin kijken, maar daar lag overal GLAS! Merlijn kwam om de hoek met een geschrokken hoofd en zei: 'Er is een heel spoor van glasscherven om het hotel.'

'Wat voor spoor?' zei een stem. Ravi kwam de hoek om. Hij rook naar bier.

'Misschien is het wel een kring,' zei Merlijn opgewonden.

'Een kring?' herhaalde Ravi. Hij knipoogde naar mij en Bonnie. 'Oei, wat griezelig.'

Merlijn keek ook naar Bonnie en zei: 'Het kan toch?'

'Annie?' vroeg Bonnie.

'Kan iemand mij uitleggen wat er zo griezelig is aan een kring van glasscherven?' vroeg ik.

Een heksenkring houdt goede energie vast, dat weet ik. Maar Merlijn zei dat als je een kring om iets heen maakt van scherpe dingen, en je tekent er bijvoorbeeld oude runen bij – dat zijn magische tekens – dat je dan juist ongeluk aantrekt.

'O nee, en Elvie is weg...'

Nu werd ik pas echt bang en samen met Bonnie en Merlijn ging ik meteen naar Dana toe.

De meditatie was in de bibliotheek.

Ik gooide de deur open... en deinsde meteen achteruit. Er was een afschuwelijke stank. Iedereen lag op de grond.

'Wat is... zijn ze vergiftigd?'

'Nee, ze mediteren,' fluisterde Bonnie, 'zo ziet het er altijd uit.'

'Wat ruik ik dan?'

'Valeriaanwortel. Werkt ontspannend.'

'O. Dat zie ik.' Mijn vader lag naast de moeder van Bonnie op een kussen. Lugh de druïde en de ouders van Artur hingen tegen elkaar aan op de bank. Het nette gewatergolfde haar van Arturs moeder was verstrikt in de warrelige baard van Lugh.

Toen zag ik Dana. Ze liep dwars door de liggende mensen naar ons toe. 'Ja, Laura?'

'Mijn zusje Elvie is weg. En er is een vreemde kring om het hotel.' Snel vertelden we wat er gebeurd was.

Dana keek ons peinzend aan. 'Geef me een minuutje,' zei ze toen en ze sloot de deur pal voor mijn gezicht.

Bonnie en Merlijn waren niet onder de indruk. Zij hebben al zo vaak een meditatie gezien.

Toen Dana de deur weer opendeed, zat iedereen rechtop en tot mijn verbazing zagen ze er niet slaperig uit, maar juist heel wakker. Papa glimlachte zelfs vrolijk naar me. Maar dat duurde niet lang. Toen hij hoorde dat Elvie weg was, wilde hij meteen de politie bellen. En hij werd woedend op juf Fiona die eigenlijk op Elvie had moeten passen, maar stiekem naar de meditatie was gekomen. Iedereen praatte opgewonden door elkaar heen en een paar mannen sprongen op om Elvie te gaan zoeken.

Maar het was al niet meer nodig. Op datzelfde moment hoorden we een kreet op de gang: 'Ik heb haar! Ik heb haar gevonden!'

Halverwege de trap verscheen Artur, met een enorme grijns op zijn spitse gezicht. Hij liep langzaam, want in zijn armen droeg hij Elvie. Een boos kijkende Elvie. Papa rende keihard op haar af. Ik ben zelf geloof ik ook nog nooit zo blij geweest om Elvie te zien.

Artur zei dat hij Elvie bij de paarden had gevonden. Hij zei: 'Ze had zich helemaal achter in de stal verstopt. Pas op, ze bloedt.'

Toen zagen we de grote snee in het blote voetje.

Elvie zei dat ze buiten in het glas was gestapt (van die glascirkel natuurlijk!) en dat ze overal had gezocht naar papa. Ze had zelfs geprobeerd mama te bellen, maar dat was niet gelukt. Daarom lag Elviepop dus bij de telefoon!

Gelukkig is Arturs vader dokter. Hij zei dat die snee van Elvie gehecht moest worden.

De bank werd operatietafel. Dana stuurde iedereen weg om het glas op te ruimen, behalve mij en papa. Kermit kwam nog snel met een handvol warme koekjes.

Papa moest zich afwenden van al het bloed, maar Elvie gaf, tot verbazing van Arturs vader, geen kik terwijl de snee gehecht werd.

Ik vroeg of ze bang was geweest en Elvie zei: 'Nee, ik wou dat mama kwam. Maar dat gebeurt niet, hè?'

'Alles komt goed,' zei ik tegen haar.

Maar Elvie schudde haar hoofd.

PS (dit schrijf ik in het donker in mijn bed)

Na dat telefoongesprek vroeg Bonnie nog hoe mijn moeder eruitzag en ik zei: 'Niet zoals de jouwe. Meer als een oppasser in de dierentuin.'

Bonnie giechelde, maar het is wel waar. Mama draagt altijd van die praktische broeken met grote zakken en ze heeft van dat hele korte haar. Te kort eigenlijk.

Bonnie zei dat Phoebe, háár moeder, alleen maar merkkleding draagt.

Dat vindt mama absolute onzin. Net als make-up trouwens. En als ze, voor een receptie of zo, een keertje mascara opdoet, is die blauw. Afschuwelijk.

– 13 augustus –

Wie heeft die cirkel om het hotel gemaakt?

We denken dat het Annie is, maar waarom? Na het bekladden van het hotel heeft ze zich juist al weken heel rustig gehouden.

En dit gaat verder dan bekladden. Zo'n cirkel is bedoeld om mensen kwaad te doen. Ons dus!

'Gewoon jongens uit het dorp die hier biertjes hebben zitten drinken en daarna hun flesjes op de grond hebben gegooid,' zei mijn vader.

'Ik weet echt wel wat ik heb gezien,' zei Merlijn ernstig, 'een cirkel. En dat is gevaarlijke magie.'

Ik heb een vreemd, onprettig gevoel dat ik niet kwijtraak. Wat is er toch?

– 14 augustus –

Leest iemand dit dagboek?

Ik weet bijna zeker dat ik het gewoon naast mijn bed had gelegd, zoals altijd. Onder een stapel boeken.

Maar toen ik na het eten mijn kamer binnenkwam, lag het op de grote tafel bij het raam. Of heb ik het daar zelf laten liggen?

– 15 augustus –

Ik ramde wild op de deur van het oude kerkje.

Ik wist niet waarom, maar ik moest naar binnen. Het was heel belangrijk dat ik NU zag wat zich daar bevond. Wat was het? En waar? Op het altaar? Ik wist het niet. Als die deur eerst maar openging!

Iets ging helemaal verkeerd. Ineens zag ik het: het glimmende, nieuwe hangslot. Ze probeerden me buiten te sluiten! Woede laaide in me op.

De sleutels, waar waren de sleutels?

Maar wacht eens even, dat wist ik toch? Ik draaide me om en begon te rennen. Ergens in mijn hoofd doemde een lange rij sleutels op, aan spijkers gehangen, met vrolijke kaartjes eraan. Misschien was het nog niet te laat.

Ik vloog door de weilanden, schramde mijn benen, zwikte door mijn enkels. Mijn stap ging steeds moeizamer alsof de wind me afremde, maar ik bleef rennen, zelfs al kwam ik langzamer vooruit dan een slak. Pijn, pijn in mijn benen alsof ik een marathon had gelopen. Mijn adem werd afgesneden. Ik viel. Kwam overeind.

Het maakt niet uit welke kant je op loopt, het hotel staat er altijd. Groot en machtig torende het op de heuvel. Ik rende de treden van het bordes op. De rode deur. De klopper.

De klopper! De puntige ster, glanzend alsof hij van gestreept vuur was, maar dan *met de onderste twee punten naar boven*. Alweer verkeerd. Hoe kan je een ster omdraaien zonder je handen te branden? Wat een vraag. Geen tijd voor nu. Ik moest verder. Deur open, naar binnen.

Wat zocht ik ook weer?

Ineens besluiteloos stond ik in de lange gang. Overal deuren. Er was iets met een deur, die niet openging, maar welke was het? Hoe wist ik wat de goede deur was? En waarom moest ik dit eigenlijk allemaal alleen doen?

Zomaar eentje: leeg. Een kamer met niks erin. Nog geen bed, zelfs geen raam, als een cel.

Volgende deur. Elvie zat moederziel alleen op de grond te spelen met een pop met oranje haar. Ze keek om, haar gezicht uitdrukkingsloos. Maar op hetzelfde moment zag ik de steeds groter wordende plas bloed op de grond en ik gooide met een klap de deur weer dicht.

Toen hoorde ik ineens het gepraat en geroezemoes vanuit de bibliotheek. Vastbesloten om te doen wat ik moest doen (wat eigenlijk?) gooide ik de deur open.

Spiegels op het plafond. Champagne, overal roze champagne. Dansende, wervelende mensen, lachende mensen, pratende mensen, zoenende mensen, dronken slapende mensen. Ik ken jullie wel.

'Hallo, hé hallo, leuk je te zien, waar was je al die tijd?'

'Ik zocht jullie, in plaats van hier te zijn, zocht ik jullie.'

'Champagne?'

'Ja, champagne. Waar is mijn vader eigenlijk?'

Dwars door de wazige, dansende menigte kwam een jongen op me af. Zwarte kleren, zwart haar, zwarte ziel. Het mes van zijn zilveren dolk glansde als de klopper van de deur.

'Kom,' zei Ravi en hij stak zijn hand uit, 'er is feest in de kamer van de hogepriesteres.'

– 17 augustus –

Op woensdagmiddag legt de druïde altijd onze dromen uit.

Zijn kamer is echt fantastisch. Overal hangen pendels en kristallen. Er branden altijd kaarsen, in alle kleuren en maten, en brandertjes met allerlei oliën waardoor de kamer er niet alleen uitziet als een oosterse markt, maar daar ook naar ruikt.

Toen we binnenkwamen, zat Lugh zelf in kleermakerszit op de grond. Zijn lange baard was keurig gekamd en hij had een ketting van dikke, bruine kralen in zijn hand.

Er waren meer mensen die hun dromen wilden laten uitleggen. We moesten eerst een uur luisteren naar een hysterisch verhaal van de moeder van Artur. Ze had gedroomd dat ze werd verscheurd door een roedel wolven. Na een tijdje zei Lugh dat de wolf een belangrijk dier is bij de sjamanen (ik weet niet of ik dat woord goed schrijf). Hij zei: 'De wolf staat voor dood en herboren worden. Voor instinct en intelligentie. En ook voor bescherming van jezelf en je familie.'

Het was dus een waarschuwingsdroom geweest.

De moeder van Artur keek Lugh verwilderd aan en zei: 'Dat begrijp ik niet.'

Lugh zei treurig dat het haar snel genoeg duidelijk zou worden en de moeder van Artur zei: 'Huh?' maar toen was ik al aan de beurt.

Ik moest mijn ogen dichtdoen en mijn droom oproepen. Dat was niet zo moeilijk, want ik moet er de hele tijd aan denken. Het is de meest rare en griezelige droom die ik ooit heb gehad!

Lugh vroeg van alles: wat voor weer het was in mijn droom, hoe laat het was, of ik alleen bij dat kerkje stond. (Ik dacht dat er nog iemand bij me was, maar ik wist niet precies wie. Ik wist het bijna.)

Lugh bleef maar vragen of ik echt niet in die kerk kon kijken en plotseling wilde ik ontzettend graag weten wat er daar binnen was. Maar de deur bleef dicht. Ik zag wel ineens dat er in mijn droom licht had gebrand in de kerk, misschien van een kaars. Er was dus wel IEMAND binnen geweest!

Daarna zei Lugh dat ik een sprong vooruit moest maken in mijn droom en hij vroeg wie er allemaal op dat feest waren.

Toen herkende ik tot mijn verbazing Phoebe, Bonnies moeder. En Kermit de kok met zijn vriend. Juf Fiona en haar man.

'Hé,' zei ik, 'Fiona is zwanger.'

Iemand giechelde. Ik probeerde er niet op te letten.

'Fiona is zwanger,' herhaalde ik, 'zwanger en dronken.'

Ineens werd ik kotsmisselijk, omdat iederéén op dat feest dronken en raar was. Tegen Lugh zei ik: 'Ze spelen een of ander spel dat ik niet begrijp. Ik hoor er niet bij. Ik wil weg!' En meteen deed ik mijn ogen open.

Ik geloof niet dat ik het helemaal goed had gedaan. Mijn vader en Bonnie keken me vol medeleven aan, maar op alle andere gezichten (zelfs dat van Merlijn) las ik iets van... teleurstelling?

Lugh zei dat een kerk niet zo'n prettig symbool is. En een feest waarop mensen zich misdragen ook niet. Dat staat voor verwarring. Hij friemelde hevig aan zijn kralenketting en toen zei hij ernstig: 'Ja, Laura, deze winter heeft iets vreselijks voor je in petto.'

'Echt? Wat dan?'

Ik ving een blik op van het geschrokken gezicht van Bonnie en van dat van mijn vader, dat vooral verwarring uitstraalde. Nu had ik ieders aandacht.

Maar toen klonk er een stem bij de deur: 'Lugh!'

Dana! Wanneer was zij binnengekomen?

'Volgens mij zie je iets belangrijks over het hoofd,' zei Dana tegen Lugh. Ze wendde zich tot mij. Haar indianenhuid was bruin van de zon en haar ogen leken daarbij geel als van een tijger. 'Deze droom heb je toch gekregen vlak na de meditatie-dag?'

Ik knikte.

'En die vond plaats in de bibliotheek.'

Ik knikte weer.

'De bibliotheek, waar jij niet mocht komen. Waar je toch kwam. En wat zag je toen?'

Ik probeerde iets te zeggen, maar ik had ineens geen stem meer.

Dana zei: 'Je begreep het niet en je vond het eng. Het was een of ander spel van de volwassenen waar je geen deel van uitmaakte. Net als in je droom.' Haar hand maakte een wegwerpgebaar.

'Ah,' zei de stem van Lugh.

'Toch weet de druïde vaak heel goed wat dromen betekenen,' zei de moeder van Artur. Maar niemand luisterde naar haar. Ik zag ze knikken dat Dana gelijk had en dat mijn droom bij nader inzien toch niet zo spectaculair was. De bijeenkomst was meteen afgelopen.

Ikzelf bleef een beetje beteuterd staan en Dana zag dat kennelijk, want ze zei: 'Als je nog steeds wilt weten wat ik deed in de bibliotheek, kom dan overmorgen naar het maanfeest. Ik ben van plan een speciale bijeenkomst te houden. Een beetje anders dan anders. Je bent welkom. Iedereen is welkom.'

– 19 augustus –

Over De Maan van het Weerlicht

Elvie wilde niet mee. Ze bleef in bed en Jeremiah paste

op. Dana zei gelukkig dat ze best begreep dat Elvie het eng vond om midden in de nacht in een heksenkring te lopen.

Ikzelf vond het deze keer ook een beetje eng. Er schoven steeds wolken voor de maan zodat het af en toe pikdonker was. Dan zag je de fakkels schijnen op al die gezichten. En op de lange jurken van de leiding, die opbolden in de wind.

Het was een frisse nacht, bijna koud.

Op een bepaald moment ging Dana voor Lugh staan. Ze keken elkaar strak aan, tot Lugh ging zitten. Toen ging Dana naar Angelica. Een paar minuten later ging Angelica zitten. Dana liep naar de volgende in de kring.

'Wat doet ze?' fluisterde ik tegen Bonnie.

En Bonnie zei: 'Je gedachten lezen.'

Ik schrok een beetje, maar Bonnie fluisterde iets als: 'Als je niet wilt, doet ze het niet.'

Ik staarde naar Dana, die nu bij Merlijns ouders was. Toen was Merlijn zelf aan de beurt en daarna juf Fiona, die zachtjes begon te huilen. Wat gebeurde er allemaal?

De halve kring zat nu op de grond.

Dana ging naar mijn vader. Ze staarden naar elkaar. Het duurde best lang. Toen lachte papa onnozel en ging zitten, en ik dacht: goed dat Elvie hier niet bij is.

'LAURA!' Ik schrok op van Dana's stem. Maar toen realiseerde ik me dat ik de stem alleen in mijn hoofd had gehoord. Dana's mond had zich niet geopend!

De stem van Dana zei in mijn hoofd dat ze dit ook aan het doen was tijdens de meditatie. Ik dacht dat iedereen sliep, maar ze luisterden juist allemaal heel aandachtig naar haar!

Toen vroeg ze of ze even naar mijn gedachten mocht kijken. Als een tandarts: *Mag ik even in je mond kijken? Iets wijder open. Mooi zo.*

Het was een vreemd getintel. Vragen flitsten langs als de koplampen van auto's op het behang van mijn slaapkamer in Nederland. Is dit wat mijn moeder bedoelt met hersenspoeling? Zou Dana zo ook Annie in de gaten houden?

Dana's stem vroeg wat ik wist van Annie. En meteen zag ik het graf van Annies man voor me en alle keren dat we bij haar in de kroeg aan het spioneren waren. Ik geloof dat ik ook nog dacht aan de glascirkel om het hotel. Ik dacht dat Annie niet te vertrouwen was en ik voelde dat Dana het met me eens was.

Toen kreeg ik een andere gedachte en die had te maken met Dana en mijn vader. Ik vroeg me af of ze verliefd op elkaar waren en Dana reageerde meteen. Of ik dat erg zou vinden.

Ik gaf geen antwoord. Omdat ik niet wist hoe ik in mijn hoofd terug moest praten, maar ook omdat ik geen antwoord had.

Dana lachte een zachte, lieve lach naar me. 'Het is goed.' En hardop zei ze: 'Dank je wel, Laura.'

Nog even was er een warme gloed, die zich uitstrekte via mijn nek naar mijn schouders. Toen zat ik op de grond bij alle anderen en had het koud.

Dana ging naar Bonnie (heel kort); naar Ravi (ze trok heel even haar wenkbrauwen op). Ik rilde op de koude grond en Bonnie sloeg haar arm om me heen. Ze rook naar aardbeitjes-lipgloss. Boven ons lichtte de maan op tussen de wolken en de wierook walmde. Wie in Nederland maakt zoiets mee? Ik was trots dat ik het had gedurfd.

Dat kon je niet zeggen van de ouders van Artur, de dokter en zijn keurige vrouw.

Dana was nog niet eens bij de dokter in de buurt, toen zijn vrouw hem al begon te stompen en hij zenuwachtig zei: 'Ik wil dit niet.'

'Ik ook niet,' snauwde Arturs moeder meteen. Ze droeg een geruite regenjas en glimmende bruine schoenen met gespen. Alsof ze naar de markt ging; alleen het boodschappenwagentje ontbrak.

Dana keek verbaasd en Arturs moeder keek strijdlustig terug.

Dana vroeg waarom ze zo boos was. Haar gezicht vlamde oranje in het vuur en haar ogen gloeiden. Arturs moeder wilde net zo fier rechtop gaan staan, maar haar hakjes zakten weg in de modder. Ze probeerde het niet te laten merken, maar daardoor viel haar gewiebel juist heel erg op.

Arturs moeder zei boos: 'Ik ben niet boos, ik heb hier alleen geen zin in.'

Dana's ogen flitsten even naar haar bemodderde schoenen en haar wild wapperende haar (anders heeft Arturs moeder altijd een onberispelijk kapsel) en ze vroeg waar Arturs moeder eigenlijk bang voor was. Arturs moeder werd meteen nog veel banger. Ze keek naar haar man, keek naar Dana, haalde diep adem en zei: 'Blijf uit mijn hoofd!'

Tegelijkertijd gaf ze haar man opnieuw een por. De dokter stond nog steeds geruststellend te glimlachen en nu keken we allemaal naar hem. Hij keek op en de glimlach bevroor op zijn mond. 'Rustig nou maar,' zei hij tegen zijn vrouw en hij knikte vriendelijk naar Dana. Ze trok haar wenkbrauwen op.

Alsof hij een patiënt gerust moest stellen, zei de dokter toegeeflijk: 'Misschien is dit voor ons allemaal net een stap te ver.'

Dana's blik was ondoorgrondelijk. Uiteindelijk wendde ze zich af. Ze sloeg ook Artur over.

Later in de bibliotheek zat papa de hele tijd naast Dana met zijn arm om haar heen. Na een paar wijntjes legde Dana haar hoofd op zijn schouder, net zoals mama vroeger deed.

Ik zag de mensen kijken. Ze gluurden ook naar mij.

Ik vind het echt niet zo erg, maar waarom moet dat nou zo openlijk?

– 21 *augustus* –

Vandaag zei Artur ineens tegen me dat papa wel moet oppassen met Dana. Hij probeerde er veelbetekenend bij te kijken. Waar ruikt hij toch naar?

Alsof zijn eigen ouders zo fijn zijn. Bonnie noemt ze steeds 'die spelbrekers'.

Dus ik zei: 'Nee, dan jouw moeder. Dat is pas een leuke vrouw.'

Artur ontplofte en ik had onmiddellijk spijt van mijn woorden. Ik bedoel, ik ken zijn moeder niet eens. Misschien is ze wel heel lief voor Artur.

Maar Artur was zo boos dat hij helemaal flipte. Hij gilde dat Annie gelijk heeft. Dat Dana al drie of vier keer is getrouwd en dat al die mannen uiteindelijk op een afschuwelijke manier door haar gedumpt zijn. Ik geloof dat hij iets zei als: 'Ze breekt ze af, stuk voor stuk.' En dat ze dat met mijn vader zeker ook zou gaan doen.

Wat is dat nou weer voor onzin?

– 22 augustus –

Ik moet steeds aan mijn vader en Dana denken.

Waarom kan mijn vader niet een tijdje geen vrouw hebben? Waarom juist Dana? Hoe lang is hij eigenlijk al verliefd op haar?

En hoe zit dat met Dana en al die mannen? Bonnie en Merlijn zeggen dat het reuze meevalt, maar die hebben makkelijk praten. Het is hun vader niet.

Kon ik mijn slimme, nuchtere mama maar bellen, maar die is drie weken op een congres in Canada. En bovendien, wat zou ik moeten zeggen...?

– 24 augustus –

Tijdens het eten had Dana onverwachts gezegd dat ik vanavond naar haar kamer moest komen. Ik had geen idee waarom. Bonnie vond het wel cool, maar ik wist het nog niet zeker.

Na het eten trok ik snel een zwarte jurk van Bonnie aan, die mij ouder maakt. Ik kamde mijn haar en deed oorbellen in. Zo klopte ik aan bij Dana.

Heel toevallig had Dana ook een zwarte jurk aan, die haar perfect stond. Ze ging me voor, een wenteltrapje op en we gingen naar de torenkamer!

Het was er klein en rond. Er was precies plaats voor twee gemakkelijke stoelen en een tafel waarop een theelichtje brandde onder een pot thee met twee glazen.

Dana schonk voor me in. Ze trok haar benen onder zich en vouwde haar handen om het theeglas. Boven de damp keek ze aandachtig naar me. Ik werd er verlegen van.

Toen vroeg ze: 'Wat is er aan de hand?'

Ik haalde mijn schouders op. Maar toen zei ik, tot mijn eigen verbazing, ineens heel kattig: 'Blijf van mijn vader af.'

Dana trok geamuseerd haar wenkbrauwen op en zei dat papa oud en wijs genoeg is om op zichzelf te passen.

'Je verleidt hem,' zei ik.

'Stel je niet aan, Laura.'

En – geen idee waar ik het lef vandaan haalde – maar toen vroeg ik ineens of ze van plan was om papa ook te gaan dumpen net als al die andere echtgenoten.

Dana werd meteen heel ernstig en zei dat ik kennelijk iets had opgevangen, zonder te checken of het waar was. Ik vroeg wat dan de waarheid was en ze zei dat de waarheid niet bestaat, maar dat ze me wel haar eigen verhaal wilde vertellen.

Dan zeg je natuurlijk geen nee.

Ze praatte tegen me alsof ik een volwassen persoon was, een vriendin of zo.

Over haar jeugd in Nederland bij haar Verschrikkelijke Vaders vertelde ze; het waren er meerdere. Kennelijk had Dana's moeder (die zelf in Ierland woonde) dat niet goed voor haar geregeld. De ene vader sloeg haar, van de volgende mocht ze geen enkel feest vieren, zelfs geen sinterklaas, en de derde dwong haar mee te doen aan alle songfestivals en talentenjachten voor kinderen, zodat ze beroemd maar doodongelukkig werd.

Toen vluchtte ze naar Ierland. Ze was pas zestien jaar en kon haar moeder nergens vinden. Ze moest in een kroeg gaan werken om geld te verdienen. En daar deed ze wat veel Ierse meisjes doen: ze zorgde dat ze zwanger werd om maar te kunnen stoppen met het zware werk. Dana was twintig en het kind was Brian.

Dwayne, Dana's man, was een nietsnut en een dronkenlap. Hij verkwistte Dana's geld en liet haar al het werk doen.

'Het zijn natuurlijk altijd de vrouwen die de wereld draaiende houden,' zei Dana veelbetekenend.

Ik knikte. Maar toen dacht ik aan papa, die nooit een vlieg kwaad doet, en ik zei voorzichtig: 'Er bestaan toch ook andere mannen?'

Daar moest Dana tamelijk lang over nadenken, maar uiteindelijk zei ze zacht: 'Gelukkig wel.' En dat ze nog steeds geloofde in de liefde. Zon en maan. Man en vrouw.

Ze schudde haar glanzende haar naar achteren en zei: 'Maar het grote verschil met vroeger is, dat ik inmiddels zelf de regels bepaal en niet meer een man over mijn leven laat beslissen. Want dat risico ligt altijd op de loer. Begrijp je dat, Laura?'

Ik begreep het niet. Niet echt. Maar toch zei ik ja.

Toen Ravi vier jaar was en Brian acht, kreeg Dana eindelijk een brief van Meredith. Het was meteen de laatste – haar testament. Dana erfde Merediths landhuis.

Toen ze dat hoorde, liet Dana alles achter zich, ook die zwakke man (die kort daarna stierf) en werd de baas van het Coven Hotel.

'En al die mannen?'

'Al die mannen... in de tien jaar dat ik hier nu woon, ben ik drie keer verliefd geweest en ook drie keer getrouwd.'

Drie keer in tien jaar – dat is helemaal niet zo veel.

Het werd echt een vriendinnengesprek toen Dana daarover vertelde. Hoe heftig het is om verliefd te zijn. En hoe ellendig je je voelt door liefdesverdriet. Elke keer dacht

Dana dat ze de prins op het witte paard te pakken had en wilde ze zo graag dat het wél zou lukken. En al die drie keren ging het toch mis. Je kon zien dat het haar nog steeds moeite kostte om erover te praten.

Ik dacht ineens: Dana moet altijd maar sterk zijn voor anderen, maar wie troost haar? Papa? En ik legde zomaar mijn zweterige hand op de hare. Het was wel een beetje gek. Dana keek verrast op.

En zo, met mijn hand op die van haar, vertelde Dana mij hoe ze heks is geworden. Door het huis. Door de ziel van Meredith. Ze zei: 'Begrijp je dat, Laura? Ik denk het wel.'

Meredith had haar Boek der Schaduwen en alle boeken van de bibliotheek achtergelaten, en Dana ontdekte dat in de familie van haar moeder in elke generatie één vrouw is met grote talenten, die weinig anderen bezitten. Zij is ook zo'n vrouw, een hogepriesteres. Dat trekt anderen aan.

Ik vroeg wat ze dan allemaal kon en Dana zei, met een vreemde lach: 'Ik denk dat je dat al wel weet.'

Was het de manier waarop Dana het zei? De kracht van de gele tijgerogen? In ieder geval, mijn hart begon plotseling heel hard te bonzen en ik stond snel op. Dana ving nog net mijn theekopje.

Ik liep naar het raam en staarde verwoed de nacht in.

Dana vroeg: 'Zie je wel iets in dat donker?' En meteen schoven de wolken opzij en de net-niet-meer-volle maan kwam tevoorschijn.

Ik draaide me met een ruk om en vroeg: 'Deed jij dat?'

Dana glimlachte weer op die rare manier en vroeg: 'Dacht je dat echt?'

'Eh... nee,' zei ik. Mijn hart klopte nog steeds veel te snel.

Langzaam kwam Dana naast me staan. In de spiegeling van het raam zag ik twee vrouwen in zwarte jurken, bijna even groot. Heel rustig legde de ene vrouw haar arm om de andere. Haar zwarte haar was als een zachte deken. Ik zag ons daar staan als een Siamese tweeling en een last (welke?) leek van mijn schouders te vallen. Het rare paniekerige gevoel zakte weg en meteen voelde ik hoe moe ik was. Bijna sukkelde ik in slaap.

Van ver weg zei Dana's stem: 'Laura? Ik weet wat het is om je moeder te missen.'

Ik was meteen weer wakker en zei tegen haar: 'Mijn moeder belt me elke week.'

Dana knikte. Langzaam gleden de wolken weer voor de maan en Dana zei dat ik haar zo aan haarzelf deed denken toen ze zo oud was. Ze zei: 'Zo trouw als je bent... en zo prachtig als je kunt hunkeren.'

Ik dacht: hunkeren? Wat is dat nou weer voor raar compliment?

En toen zei ze het: 'Ondertussen heb je heel wat meer kracht dan je zelf vermoedt. Als je wilt, Laura, maar alleen als je écht wilt, zou ik mijn kennis aan jou kunnen doorgeven. Je weet dat ik zelf geen dochters heb...'

Terwijl ik het opschrijf, denk ik: zei ze dat nou echt? Of heb ik het, in mijn verwarring en slaperigheid van het moment, helemaal verkeerd begrepen?

In ieder geval: ik schrok, mijn theeglas viel alsnog op de grond en de splinters dansten om onze voeten. Dana liet me los en de betovering was doorbroken.

Maar toen ik wegging, zei ze: 'Denk er maar eens rustig over na. Ik kan wachten.'

– 29 augustus –

Niemand anders weet zoveel van Dana's leven. In ieder geval Bonnie niet. En Merlijn ook niet.

Zij hebben niets gehoord over de Verschrikkelijke Vaders, of over Dana's vlucht naar Ierland en het huwelijk met de nietsnut.

Zoals Dana zelf zei: 'Het zijn geen verhalen die je gezellig in de kring vertelt.'

Maar ze vertelt ze wel aan mij.

– 30 augustus –

Als iemand in het Coven Hotel tegen je praat, kijkt hij of zij je altijd aan. Als je iets zegt, luisteren ze echt. Ze zijn geïnteresseerd en dat is niet nep, zoals zo vaak.

Dat is natuurlijk fijn, maar ook vermoeiend. Neem Dana. Na ons laatste gesprek loop ik steeds snel weg als ik haar tegenkom. Terwijl ik haar supergeweldig vind! Lief, wijs, mooi, enzovoort.

Maar het is allemaal zo veel.

Af en toe schaam ik me zelfs voor dat gesprek. Dan voel ik me zo in mijn blootje.

– 3 september –

Het is ineens herfst geworden. De wind heeft in één nacht bijna alle appeltjes van de boom geblazen. Er hangen zware wolken boven de weilanden met heel veel regen erin.

De paarden staan nu op stal. We gaan Vanilla drie keer per dag extra lang borstelen, als troost. Ze hinnikt zo blij als ik binnenkom, misschien wel even hard als bij Bonnie.

Ik denk vaak aan Vanilla, bijna even vaak als aan Merlijn. Af en toe sta ik zomaar heel lang met mijn gezicht tegen haar flank. Dan hinnikt ze zo begrijpend als alleen zij dat kan en ze geeft me snuffelkusjes met die zachte neus.

Vorige week kwam er een grote truck voorrijden met aardekleurige stenen die bijna geen gewicht hadden. Het was turf. Ik heb nu een belangrijke taak: de turfvoorraden aanvullen. Elke dag ga ik naar het turfhok achter het hotel. Ik laad mijn mand vol en ga alle kamers langs. In elke kamer is wel een open haard, en turf brandt snel. Het ruikt overal naar oude treinen.

Nu ze niet meer buiten kunnen zijn, gaan de mannen van het hotel vaak naar de kroeg om bruin bier te drinken bij Annie. Merlijn heeft een rooster opgesteld, zodat er altijd iemand van ons als een spion bij zit. Maar afgezien van wat gemene opmerkingen over Meredith lijkt Annie zich koest te houden. Ook het graf verwildert weer.

'Misschien is ze alleen maar een beetje oud en een beetje gek,' zei Brenna laatst.

Maar Merlijn zei: 'Volgens mij voert ze iets in haar schild. We moeten blijven opletten.'

Brrr... ik denk dat hij gelijk heeft.

– 5 september –

Godin: uitroep als je heel blij bent of juist heel erg schrikt. Bijvoorbeeld: 'Godin, wat is er aan de hand?'

Blessed be: gelukwens, bijvoorbeeld ter afsluiting van een heksenkring.

Merry meet: heksengroet, bijvoorbeeld als je een kring binnenstapt.

So mote it be: afsluiting van een spreuk.

Je begrijpt, ik heb deze week een 8 voor Moon School gekregen.

En vandaag mijn eerste liefdesgedicht geschreven (raad eens voor wie).

Jij en ik
Altijd
En nu

– 7 september –

Heksenwijsheid:

Hoe kun je brandnetels plukken zonder geprikt te worden?

Door, terwijl je ze plukt, heel goed je adem in te houden! Echt waar!!

– 10 september –

Bonnie, Elvie en ik gingen vandaag paddenstoelen zoeken met Jeremiah. Mama zou het fantastisch hebben gevonden: dwars door drassige weilanden, over hekken en langs loslopende stieren. Jeremiah groef een paddenstoel op die zo groot was als het hoofd van Elvie.

Elvie zelf danste om ons heen en vertelde Bonnie en mij een lang verhaal van Jeremiah, over de heks Cerridwen (zie volgende bladzijde).

Ik was verbaasd dat ze dat Engels van Jeremiah zo goed

verstond, maar Elvie zei iets vaags als: 'Ik versta het niet, maar begrijp het toch.'

Boven op een heuvel was een cirkel van platgetrapt gras. Ze noemen het een elfenring en de dorpelingen zeggen dat er 's nachts elfen komen om te dansen. Dan is het voor mensen levensgevaarlijk.

Terwijl we daar stonden uit te puffen, brak ineens de zon door. Ik had Elvie niet in die cirkel zien stappen. Een klein, bleek meisje in het midden van de wereld. Ze huppelde een rondje, waarbij ze ervoor oppaste dat ze het geplette gras niet aanraakte.

We stonden allemaal stil naar haar te kijken.

Elvie keek op en zei tevreden: 'Dit is mijn kring. Jij en papa gaan in de stenenkring. Maar dit is de Elviekring.'

Bonnie moest erom lachen, maar ik niet en Jeremiah gelukkig ook niet.

Op de terugweg begon het keihard te regenen en we gingen schuilen bij Annie.

Heel toevallig zaten daar ook twee nieuwe hotelgasten, vrouwen uit Nederland. Ze zijn eergisteren aangekomen.

Een van die vrouwen vroeg: 'Wie is dat wijffie? Ze zat net vreselijk over Dana te roddelen.'

Bonnie en ik keken elkaar aan. Was het weer zover?

Elvie klom intussen bij Jeremiah op schoot en klaagde dat Annie altijd aan haar haar trekt. 'Tsja,' zei Jeremiah, 'Ieren geloven nu eenmaal dat het geluk brengt om een roodharige te aaien.'

'Echt waar? Wat enig!' riep een van de Nederlandse vrouwen. Ze strekte haar hand naar Elvie uit.

Maar Elvie wilde alleen nog maar weg. Ik schrok toen ik

naar haar keek. Dit was niet het lichte elfje dat net nog in de kring had gedanst. Sinds we bij Annie naar binnen waren gestapt, was Elvie net als Tinkel Bel van Peter Pan: uitgedoofd.

Later zei Jeremiah nog: 'Niet bang zijn voor Annie. Ze draagt een groot verdriet met zich mee.'

'Haar dierbare Aidan, we weten het,' zei Bonnie verveeld.

Maar Elvie zei: 'Jij helpt haar.'

'Dat klopt,' zei Jeremiah. Het schijnt dat hij wel eens een klusje voor haar doet. EN HIJ VERZORGT HET GRAF. Toen hij zag hoe geschokt Bonnie en ik daarop reageerden, zei hij: 'Wie anders? Dat oude mensje komt toch nooit meer boven.'

HET VERHAAL VAN CERRIDWEN

Er was eens een heks die Cerridwen heette. Zij had een zoon die heel erg lelijk was en die heette Morfan. Cerridwen wilde Morfan helpen en daarom brouwde ze voor hem in haar magische toverketel een drank die hem heel wijs zou maken. Dan had hij dat tenminste. Omdat die drank supersterk was, zette ze een bewaker naast de ketel. Die bewaker heette Gwion en hij was blind.

De drank was zo sterk dat het Gwion al fataal werd toen hij één druppel morste en die snel oplikte. Want daardoor werd hij alwetend en hij zag dat de tovenares Cerridwen hem zou doden. Hij veranderde snel in een haas (dat kon hij nu) en ging ervandoor. Maar Cerridwen werd een windhond en ging achter hem aan.

Gwion werd snel een vis, Cerridwen een otter.
Gwion werd een vogel, en Cerridwen een havik.
Gwion werd een graankorrel – en Cerridwen werd een kip... en at hem op.
Maar in Cerridwens buik groeide hij gewoon door en daarna werd hij weer geboren. Cerridwen gooide het kind in de rivier.
Precies met Halloween werd hij opgevist. Hij groeide op en werd een belangrijke dichter, die aan iedereen het verhaal van Cerridwen vertelde.
En zo hebben alle dichters hun gave aan Cerridwen te danken.

– 11 september –

Ik droomde over Cerridwen en haar magische ketel. Maar haar gezicht was dat van Annie en de bewaker zag eruit als Jeremiah.

Plotseling gilde er iemand. Heel hard.

Ik was meteen klaarwakker. Elvie zat rechtovereind in bed. En zelfs papa mompelde: 'Wat was dát?'

Ik ging kijken bij het raam, maar het was pikdonker. Op de gang hoorde ik wat gerommel, iemand trok een wc door. Toen werd het weer stil.

Ik probeerde Elvie weer in slaap te praten, maar ze wilde per se bij mij in bed. Eerst had ik daar helemaal geen zin in, want Elvie in bed betekent: de hele nacht rukken aan de dekens en af en toe een fikse trap tegen je been. Maar toen zag ik dat ze echt zat te trillen van angst en ik zei snel: 'Kom maar.'

Arme Elvie. Ik moest bijna huilen toen ze tegen mij aan

in slaap was gevallen. Ik weet heus wel dat ze het hier niet leuk vindt, maar wat kan ik daaraan doen? We kunnen haar moeilijk in haar eentje naar Nederland terugsturen.

Ik keek heel lang naar het slapende gezichtje met de mooie rode krullen. Als Elvie slaapt, is ze net een schilderij. Had ze maar een echte vriendin in plaats van al die elfen. Kleine, stille Elvie. Wat deed mama ook alweer als ze Elvie vrolijk wilde maken?

En toen dacht ik dus aan mama en moest ik ineens huilen. Het leek vannacht wel alsof ik ook vijf jaar was in plaats van twaalf...

Bij het ontbijt praatte iedereen over dat rare geluid in de nacht. De meesten dachten aan een of ander wild dier, een vos of zo. Bonnie dacht dat het Annie was, die nu definitief gek was geworden. Ze zei: 'Het was een menselijke kreet.'

Maar Jeremiah zei: 'Het was een banshee.'

Dat is een bepaald soort elf. Maar geen leuke, want Jeremiah zegt: 'Als de banshee krijst, gaat er gauw iemand dood.'

– 12 september –

Er zijn dus twee nieuwe gasten. Ze zijn speciaal voor het herfstfeest gekomen.

De ene vrouw heet Kate, die loopt de hele dag kwijlend achter Dana aan. De andere vrouw, Selma, werkt op het laboratorium van een ziekenhuis. En niet zomaar een ziekenhuis – precies dat van mama! Ze kent mama zelfs, hoewel ze zelf op een andere afdeling zit. Maar iedereen uit die wereld kent mijn moeder.

Selma begreep meteen waarom Elvie en ik niet bij mama wonen. In haar beroep is het onmogelijk om een gezin te hebben, in ieder geval voor vrouwen. Zo zit de medische wetenschap nou eenmaal in elkaar, zegt ze.

– 14 september –

Elvie en ik praten veel met Selma. Ze is een beetje sloom, maar ze kent mama en daarom vinden wij haar aardig.

Er was ook een brief van mama: of Elvie en ik in de herfstvakantie nog komen logeren. Alsof mama aanvoelde hoe Elvie haar mist. Elvie ging meteen haar koffertje pakken, ook al duurt het nog een maand.

– 16 september –

Kate en Selma hadden heel erge ruzie vandaag.

Selma baalt ervan dat Kate niet met haar mee wil naar de kust of naar een museum. Maar Kate wil niet weg van Dana, nog geen uur.

Vandaag schreeuwde Kate dat Selma niet zo moest zeuren. Het was in de hal en best veel mensen hoorden het. Kate riep: 'Jij altijd met je saaie musea. Ga dan alleen!'

'Ik ben toch met jou,' zei Selma.

'En ik wil bij Dana zijn. Je bent gewoon jaloers!'

Toen liep Selma weg en Kate ging uithuilen bij de leiding.

Later ging ik Selma zoeken, want ik vond het zielig dat ze helemaal alleen was. Maar toen ik haar eindelijk vond, zat ze met de ouders van Artur te praten. Een beetje fluisterend; toen ik binnenkwam, waren ze meteen stil.

Ik vond het maar raar en dat heb ik ook tegen Bonnie gezegd.

– 21 september –

Over het Herfstfeest (Mabon)

Het begon allemaal zo spectaculair. Dana, in grimmig rood gekleed, zei dat ze ons wilde beschermen tegen kwade invloeden van buiten. Tegen Annie natuurlijk! Ze had een rammelend potje bij zich, dat ze in de kring ging begraven. Daarbij zei ze langzaam en zangerig:

'Smeed de spreuk in het vuur
Smeed het goed voor langer duur
Maak een spinnenweb van vlammen
Om het kwade uit te bannen
Niemand komt het vuur voorbij
Voor niemand gaat het vuur opzij!'

Een echte spreuk! Het vuur laaide op en ik kon als het ware de hete kracht zien die ons omringde en beschermde. Ons, de heksen van het Coven Hotel!

Om dat te bezegelen moest iedereen met een sieraad door het vuur zwaaien. Papa heeft zich zo uitgesloofd dat iedereen inmiddels wel een ketting, een broche of een ring heeft met een pentagram erop. Ravi deed het met zijn dolk.

Het was echt magisch: steeds kwam iemand anders naar voren, brandde net niet zijn handen en werd daarna door de anderen toegejuicht.

Maar weer waren de ouders van Artur spelbrekers. En deze keer was Dana niet zo aardig.

Ze vroeg Arturs moeder koeltjes of ze nog wel echt een heks was en Arturs moeder ontplofte. Ze begon hysterisch alle dingen op te noemen die ze allemaal had verkocht om zich in het Coven Hotel te kunnen inkopen: een huis, een huppeldepup kookeiland, zoveel oude familieschilderijen, twee auto's...

Ik dacht: inkopen? Onze auto is ook verkocht vlak voor onze inwijding. Maar volgens papa was dat omdat het anders zo'n gedoe zou worden met invoerrechten en verzekeringspremies. Bovendien hebben we hier toch geen auto nodig.

Dana onderbrak de opsomming door Arturs moeder eraan te herinneren dat we met z'n allen in de kring stonden en dat dit niet bepaald het goede moment was voor persoonlijke akkefietjes. Arturs moeder begon een beetje te huilen en Dana liep naar haar toe. Ze pakte haar handen die rondfladderden als bange vogeltjes en prevelde iets. Je zag Arturs moeder gewoon tot rust komen en het leek allemaal met een sisser af te lopen.

Maar toen nam ineens Kate het woord. Kate, de Dana-fan. Ze riep heel hard dat Dana die arme Deirdre (zo heet Arturs moeder) beter moest behandelen. Want toevallig had Deirdre aan Kate opgebiecht hoe ongelukkig ze was, en dat Dana dat helemaal niet serieus nam.

Kate riep (alsof ze al jaren met ons optrok): 'Dana! Zo ken ik je niet!'

Ik was eigenlijk vooral verbaasd, maar Dana was boos. Ik schrok van haar ijsstem toen ze tegen Kate zei: 'Jij kent mij ook niet.'

Kate sperde haar ogen open en deed snel een stap naar

Selma toe. Ze stotterde iets als 'Hekserij is toch liefde...'

Dana draaide zich om en zei dat ze Kate niets hoefde uit te leggen. Letterlijk zei ze: 'Jij bent maar een gast.'

Kate barstte in tranen uit en Selma keek boos. Maar Dana ging gewoon verder met de kring alsof zij er niet bij waren.

Dat had ze beter niet kunnen doen. Ineens stormde Kate naar voren en begon tegen Dana aan te duwen. Dana, die dat helemaal niet verwachtte, struikelde... verschillende mannen kwamen naar voren en grepen Kate vast... iemand gilde... Selma stortte zich ertussen... Juf Fiona gilde en viel flauw.

En midden in die hele toestand moest mijn vader zo nodig de held uithangen. Hij riep alsmaar: 'Dames toch, dames toch! De oude druïden draaien zich om in hun graf. Laten we liever kijken wat er met Fiona aan de hand is.'

Iedereen draaide zich om naar juf Fiona, die door haar man werd opgetild. Dana fluisterde iets.

'Wat zeg je, schat?' vroeg papa. Schat!

Dana mompelde dat het in orde was met Fiona. Ze zei: 'Ze is alleen maar zwanger.'

'Ze is... wat? Ben ik de enige die dat niet wist?' vroeg mijn vader. Maar iedereen was heel verbaasd en ik moest meteen aan mijn droom denken.

'Nou, laten we dan maar snel naar binnen gaan en flink wat alcohol tot ons gaan nemen,' zei mijn vader. 'Behalve Fiona dan.'

Het was alsof hij een ballon had leeggeprikt. Van alle woeste opwinding bleef niets over en stilletjes liepen we terug naar het hotel.

Kate en Selma gingen, gearmd, meteen naar hun kamer. Wij gingen allemaal naar de bibliotheek en daar werd nog veel gedronken, precies zoals papa had gezegd.

Ik zat op de grond met Bonnie en Ravi naast een mand met appels. Om het gesprek gaande te houden vroeg ik wat er eigenlijk in het potje zat, dat Dana had begraven.

Ik vroeg het aan Bonnie, maar Ravi gaf antwoord. Hij zei: 'Scherven, oude spijkers, allerlei scherpe dingen. Het begraven daarvan hoort bij een beschermingsritueel. Keurig volgens het boekje.'

'Welk boekje?' vroeg ik dom.

In plaats van antwoord te geven, pakte Ravi zijn dolk. Hij nam een appel uit mijn hand en sneed die horizontaal doormidden. Het leek precies op een pentagram! En Ravi zei grimmig: 'Zelfs een appel kiest partij.'

– 20 september –

Kate en Selma zijn weg. Gelukkig maar.

Op de valreep probeerde Selma mij nog mee te lokken.

'Het is een fijn hotel, Laura, ik begrijp heel goed dat je hier wilt wonen. En hekserij is een mooi, oud geloof. Maar Dana...'

'Dana is fantastisch.'

'Ja, dat is zo. Maar ze heeft ook een duistere kant.'

Ik begon hard te lachen.

'Echt waar. Wat Dana hier doet, is niet allemaal zo onschuldig als het lijkt. En daarom is het geen gezonde omgeving voor jou en je zusje.'

Het is zo doorzichtig. Haar vriendin is op haar nummer gezet omdat ze de sfeer verpestte tijdens onze kring, en nu krijgt Dana de schuld. Arme Dana.

'Ik wil je alleen maar waarschuwen, omdat ik je mag,

Laura,' slijmde Selma. Heb ik al eens verteld dat ze een enorme, oogmisvormende bril heeft?

Toen zei ik gewoon: 'En ik mag jou niet.'

Vroeger had ik nooit zo direct durven zijn, zo eerlijk.

– 23 september –

GODIN!!!

MIJN VADER GAAT TROUWEN

MIJN VADER GAAT TROUWEN MET DANA

MET DANA

MET DANA!

– 24 september –

Het is dus echt waar. Papa kwam het mij en Elvie officieel vertellen, bosje bloemen erbij. Hij zag zo rood als een kreeft.

Bonnie is zo jaloers! Ze zegt dat mijn vader nu ook in de leiding komt, maar dat weet ik niet.

Iedereen doet wel superaardig. Zoenen in de gang, taart bij het ontbijt, gegiechel.

Papa heeft mama opgebeld. Ik vroeg wat ze zei en hij zei: 'Niks.'

Niks?

'Nee, ze was eigenlijk heel stil.'

Dat is wel raar, want meestal wordt mama boos als dingen heel anders lopen dan ze dacht.

Papa vond het wel makkelijk, maar ik dacht aan mama in haar eentje op een hotelkamer, met alleen de telefoon. En wij hier. En papa een nieuwe vrouw. Toen begreep ik Elvie zo goed, die begon te schreeuwen en te slaan, toen papa haar het blijde nieuws vertelde. Helemaal niet blij!

Ik ben naar de stal gegaan en heb Sparkling Vanilla gezadeld. Uren hebben we door de kou gegaloppeerd. Tot alles me pijn deed en Vanilla zelfs schuim op haar mond had.

Toen heb ik haar hele lichaam zachtjes afgeveegd en geborsteld en ik heb haar extra veel krachtvoer gegeven. Ik was helemaal leeg en moe, toen ik het hotel weer in kwam.

Binnen was het warm en het rook naar turf. Merlijn stond me op te wachten.

Waarom kan mama niet in een ziekenhuis in Ierland komen werken? Ze hebben toch altijd overal hartchirurgen nodig!

– 26 september –

Dana en ik botsten tegen elkaar op in de gang. Ik wilde snel doorlopen, maar zo makkelijk kom je niet van Dana af. Zonder enige inleiding zei ze dat het haar speet dat ze zo snel al gaat trouwen met papa. Dat ze begreep dat het voor mij en Elvie een schok moest zijn.

Dus ik vroeg: 'Waarom doe je het dan? Het ging toch goed zoals het was?'

Maar Dana zei dat ze het zich in haar positie niet kon permitteren zomaar een beetje te rotzooien met iemand. Als ze een persoon meer aandacht geeft dan de anderen, komt er algauw gedoe van. Nu is het tenminste duidelijk.

Ik vond het maar koel klinken, maar toen zei Dana: 'Ik hoef jou toch niet te vertellen hoe het voelt om verliefd te zijn?'

Ik stond daar een beetje te blozen en te stotteren en toen vroeg Dana zachtjes: 'Ben je niet al te boos op deze stiefmoeder?'

Ik keek op en zag dat het niet alleen als grapje was bedoeld. Dana wilde echt graag weten hoe ik over haar dacht. Maar ik kon niets zeggen want plotseling sprongen er tranen in mijn ogen.

Dana zag het. Ze zei niks meer. Maar ze spreidde haar armen en ja... eigenlijk zonder erbij na te denken, kroop ik daarin weg.

Met papa knuffel ik nooit meer. En met mama ook eigenlijk niet. Ik ben er een beetje te groot voor en bovendien zijn we niet zo'n knuffelfamilie.

Maar bij Dana kon het wel. Knuffelen bedoel ik, zacht en toch verpletterend omhelsd worden. Ik kreeg herinneringen aan mijn kleuterjuf bij wie ik altijd op schoot zat. En aan mijn oma, die al vijf jaar dood is.

Dana en ik stonden daar terwijl iedereen langs ons liep op weg naar de eetzaal. En later kwamen we samen binnen met de armen om elkaar heen geslagen en er viel even een stilte.

Ik kroop onder Dana's arm vandaan en ging gauw bij Bonnie zitten, die me stralend aankeek. Merlijn en Brenna zaten ook aan haar tafel. Ravi maakte verderop ontzettend flauwe grappen en we kregen de slappe lach. Maar het zachte van Dana bleef bij me. Dat voel ik nog.

– 28 september –

Wie had ooit gedacht dat mijn leven zo zou veranderen?

Als ik vroeger ergens mijn profiel moest opgeven, leek

het sprekend op alle andere profielen. Terwijl nu:

Mijn naam is Laura. Ik ben een heks. Ik heb een paard (nou ja, bijna). Ik heb een vriend. Ik woon in een landhuis. Ik word later zangeres. Mijn stiefmoeder is een hogepriesteres.

– 29 september –

De bruiloft vindt plaats tijdens Halloween. Dat is al heel snel, over een maand!

Lugh voltrekt het huwelijk, ik wist niet eens dat hij dat kon.

Volgens het gebruik worden de handen van Dana en mijn vader dan met een koord aan elkaar vastgemaakt. Natuurlijk niet voor altijd! Je kunt zo'n handvasting (heksenhuwelijk) sluiten voor een jaar en een dag, voor het leven, of voor altijd. Dat laatste betekent dat het verder gaat dan de dood. Ik zou zelf altijd beginnen met een jaar en een dag.

– 3 oktober –

Het leek vandaag wel een soap.

Je ziet een klas kinderen rustig werken tijdens Moon School en ineens valt BOEM de juf van haar stoel. Bonnie en ik dachten nog dat ze een grapje maakte, maar Merlijn rende naar voren en riep dat we onmiddellijk Dana moesten gaan halen omdat juf Fiona weer was flauwgevallen. Een paar kinderen renden de gang op.

Ik zei dat Merlijn Fiona op haar zij moest leggen, dat heb ik een keer op tv gezien. Dus wij begonnen te sjorren aan dat zware lichaam. Daarbij greep Fiona ineens mijn hand en klemde zich er keihard aan vast.

De deur vloog open en Artur kwam binnen met zijn vader, de dokter. Hij had een echt dokterskoffertje bij zich.

Bijna tegelijk vloog de andere deur open en Dana en Angelica renden de klas in. Alle kinderen werden weggestuurd behalve ik, omdat Fiona mijn hand nog steeds vasthield. Daardoor zat ik eersterang.

Aan de ene kant van Fiona zei de vader van Artur: 'Ik vertrouw het niet.'

Aan de andere kant van Fiona zei Dana: 'Niks aan de hand.'

Ondertussen deed Fiona zelf haar ogen open.

De dokter mat de bloeddruk.

Dana bevoelde de buik.

De dokter keek zorgelijk.

Dana glimlachte geruststellend.

En Fiona vroeg: 'Is alles goed met de baby?'

De dokter zei ernstig dat hij dat in Dublin in het ziekenhuis wilde laten onderzoeken en Fiona begon meteen te huilen.

Door deur nummer 1 kwam nu Angus, de man van Fiona, op en hij riep luid: 'Lieveling!'

Fiona liet eindelijk mijn hand los en greep haar man. Ze snikte: 'Ik wil niet naar het ziekenhuis.'

Dana stond op en zei dat dat nergens voor nodig was. Ze zei dat Kermit een speciale soep zou maken en zijzelf een amulet van maansteen en jade. Dat Angus Fiona maar even goed moest vertroetelen en dan zou het allemaal in orde komen. Angus tilde Fiona meteen op.

De dokter zat nu nog als enige op de grond met zijn koffertje. Zijn gezicht was rood geworden.

Dana was al bij deur 1, samen met Angelica, toen de dokter haar naam riep.

Dana keek om.

'Dit is toch niet verantwoord!' zei de dokter met overslaande stem.

Dana glimlachte.

'Hoezo soep?' riep de dokter. 'Het ziekenhuis!'

Angus begon zich ermee te bemoeien. Hij zei: 'Ik vertrouw Dana. Zij heeft contact met ons kind.'

De dokter stond op, greep zijn koffer en zei: 'Dana is geen vroedvrouw.'

Angus zei: 'Jij ook niet.'

Ik had Arturs vader nog nooit zo boos gezien. Hij gilde (en ineens leek hij op zijn zoon als die boos is): 'O nee? En wat als het een buitenbaarmoederlijke zwangerschap is?'

Er viel een stilte.

Fiona kromp ineen. 'Buitenbaarmoederlijk?' prevelde ze.

Ik schrok me dood. Wat betekent dat? Waar zit dat kind dan ergens?

'Buitenbaarmoederlijk,' herhaalde Angus.

Maar Dana zei alleen maar: 'Wat een onzin.' En daarna zei ze in één adem dat het kind netjes in Fiona's buik zou blijven zitten tot aan de geboorte. Dat dat zou plaatsvinden bij de zuivere maan van maart. Dat de naam van het kind Brigid zou zijn en dat ze haar ouders veel troost zou schenken.

Exit Dana.

Even bleven we allemaal verbijsterd staan, de dokter, Fiona, Angus, Angelica en ik. Toen stormde de dokter de kamer uit door deur 2.

'Brigid?' mompelde Fiona. Zij en Angus keken elkaar vol liefde aan.

'Brigid?' zei ik tegen Angelica.

Angelica glimlachte veelbetekenend.

– 4 oktober –

Artur en zijn ouders gaan weg uit het hotel!

Ik dacht eerst dat het kwam omdat Fiona niet naar het ziekenhuis wilde. Maar het schijnt al langer aan de gang te zijn. Drop-outs zijn ze, volgens Bonnie.

Ik vertelde Elvie dat Arturs ouders uit de kring waren gezet en ze was niet blij. Ze herinnert zich nog goed hoe Artur haar heeft gevonden, toen ze in het glas was gestapt. En de dokter is voor haar die lieve man die haar voet beter heeft gemaakt.

Ik probeerde haar aan het lachen te maken door te zeggen dat ik eindelijk weet waar Artur naar ruikt: naar gele vaatdoekjes. Mama gebruikte die altijd. Als je ze te lang op het aanrecht had laten liggen, dan dacht je ineens: wat stinkt het hier toch. En die geur kwam aan je handen... overal. Heel vies. Een overgeef-oudsnot-viezeadem geur. Zo ruikt Artur.

Maar Elvie vond hem natuurlijk helemaal niet stinken. Elvie is zo'n dwarskop!

Zeg je dat het graniet op de vloer van het hotel zo mooi is – vindt zij het lelijk.

Vertel ik haar dat ik Dana zo geweldig vind – vindt zij haar stom.

Zit ik te genieten van Kermits kookkunsten – vindt Elvie mama's diepvrieseten ineens veel lekkerder (Elvie leeft op havermoutkoekjes en af en toe een appel).

Ineens kreeg ik daar zo genoeg van. Dus ik zei kattig tegen haar dat Artur en zijn ouders zelf niet meer bij ons wilden horen. Dat ze drop-outs zijn en dat ik ze daarom niet meer aardig vind.

Elvie zei: 'Zeker omdat Dana het zegt. Mag ik mee?'

Het duurde even voor ik het begreep. Toen zei ik snel: 'Natuurlijk niet. Jij hoort toch bij papa en mij.'

Toen ik later op Sparkling Vanilla zat en zompe-zomp door de modder draafde, echoden Elvies woorden irritant in mijn hoofd.

Omdat Dana het zegt.

Omdat Dana het zegt.

Omdat Dana het zegt.

– 6 oktober –

Natuurlijk kan ik nu niet in de herfstvakantie naar Nederland. We moeten een huwelijk voorbereiden!

Bovendien wil ik eigenlijk niets missen van de voorbereidingen voor Halloween, dat valt op de maandag na de herfstvakantie. Het is het grootste feest van allemaal: nieuwjaarsfeest en dodenfeest tegelijk.

Het leek mij een rare dag om te trouwen, maar juf Fiona (die inderdaad weer helemaal is opgeknapt) zegt dat heksen niet bang zijn voor de dood en ook niet voor geesten. Het is gewoon een groot feest en dat is het huwelijk ook. Dubbel feest dus.

Ik heb mama geschreven of het ook goed is als Elvie en ik in de kerstvakantie komen logeren.

– 7 oktober –

Vandaag was de laatste avond dat Artur en zijn ouders mee-aten. Maar niemand had een taart gebakken of zo.

Eigenlijk is het net alsof ze al weg zijn.

Na het eten ging ik naar de stal om Vanilla te verzorgen. Terwijl ik daar bezig was, zag ik ineens een schim op me af komen. Ik gaf een harde gil, maar het was Artur. Verlegen zei hij dat hij afscheid van me kwam nemen.

Even was ik bang dat hij wilde zoenen. Hij zei dingen als dat hij heus wel wist dat hij niet zo'n mooie jongen was als Ravi of Merlijn, maar dat hij ook gevoelens had. Ik werd meteen kotsmisselijk. Waarom overkomen dit soort dingen mij altijd? Vaatdoekje... verse pukkels op zijn wangen...

Toch dwong ik mezelf hem aan te kijken, en ik zag dat hij eigenlijk best lieve ogen heeft.

Ik zei vriendelijk dat het echt niet alleen zijn uiterlijk is, maar ook dat hij altijd veel te dichtbij staat. Dat had effect, want hij schoot meteen een stuk naar achteren.

Toen zei ik dat hij ook een beetje te veel roddelt, vooral over Dana. En dat ik toevallig heel erg dol op Dana ben.

'Dacht je dat ik dat niet ben?' vroeg hij met een vreemd lachje. Toen ik geen antwoord gaf, zei hij zacht: 'Soms lijkt ze op de Godin zelf, zo mooi. Dana kan het beste in je naar boven halen, dingen waarvan je zelf niet wist dat je ze in je had. En als ze dan ook nog iets aardigs zegt, dan voel je je de gelukkigste persoon op aarde.'

Ik staarde hem aan. 'Als je dat echt meent, waarom ga je dan weg?'

Bij wijze van antwoord, kreeg ik een lang verhaal. Het ging ongeveer zo.

'Zesenhalf jaar geleden was ik met mijn ouders op een rondreis door Ierland en toevallig kwamen we bij het Coven Hotel. Het was nog niet zo mooi als nu, de meeste kamers moesten nog opgeknapt worden. Maar Dana was er al. Met Angelica en Phoebe en nog wat mensen. Het was... lief.' (Dat zei hij echt.)

'Het jaar daarop gingen we weer. Maar deze keer was het heel anders. Iedereen was opgewonden, want Dana zou gaan trouwen met een man die Steve heette. Een man met een baard en een blozend gezicht. We werden uitgenodigd voor het huwelijk. Ikzelf was natuurlijk nog maar een jaar of zeven, dus ik herinner me er niet zoveel van, alleen dat Steve een Ierse tapdans voor Dana danste. En 's avonds was er een diner voor het bruidspaar en de leiding. Dat waren toen, naast Dana, alleen Angelica en Phoebe. Lugh was nog gewoon bewoner.

Midden in de nacht werd ik wakker omdat er iemand op de deur sloeg en om een dokter riep. Mijn vader sprong onmiddellijk op, dat begrijp je. Het was de kersverse echtgenoot, Steve. Maar wat was er gebeurd? Een zombie was het – met bloeddoorlopen ogen en een verwilderde blik, die niet meer kon praten en alleen maar wilde drinken. Mijn moeder kwam steeds opnieuw met bekers water aanrennen, die Steve als een beest uit haar handen griste. We raakten allemaal in paniek. 'Pappie, zijn handen zijn zo koud!' gilde mijn moeder steeds. Ik heb daar nog vaak nachtmerries over gehad. Uiteindelijk lukte het mijn ouders om Steve in de auto te krijgen. Mijn vader is in volle vaart naar het ziekenhuis gereden.

En wat denk je? Het was de groene knolamaniet. Ken je die niet? Dat is de allergevaarlijkste paddenstoel die er bestaat. Ze noemen hem hier ook wel *death cap*. De groene knolamaniet lijkt heel erg op een gewone champignon en waarschijnlijk heeft in de paddenstoelenragout die avond één knolamaniet gezeten. Maar dat is genoeg om je lever te vergiftigen. Steve was binnen een week dood.'

Wat een luguber verhaal! Ik legde mijn wang tegen de warme hals van Vanilla, en Artur zei dat zijn moeder jarenlang niet meer naar het Coven Hotel had gedurfd. Toen ze eindelijk weer gingen, was het hotel een bloeiend bedrijf geworden met Dana als middelpunt, en niemand sprak meer over Steve. Er scheen een nieuwe echtgenoot te zijn geweest, een zekere Jacob, maar die was ook alweer van het toneel verdwenen. Dana was aardiger dan ooit tegen Arturs vader en zei dat ze een hotelarts zocht. Omdat Arturs vader zich blijkbaar al die tijd schuldig had gevoeld dat hij Steve niet had kunnen redden, zijn ze gebleven.

Ik vroeg Artur waarom hij mij dit vertelde en hij zei: 'Omdat je, net als wij, weg moet gaan. Voordat het weer gebeurt.'

Dat meende hij echt! Hij en zijn ouders hadden elkaar wijsgemaakt dat Dana haar man had vergiftigd door op het laatste moment die paddenstoel in zijn ragout te stoppen. 'Waarom is anders alleen hij ziek geworden?'

'Weet ik veel.'

'Dana heeft het gedaan. Ze vermoordt haar eigen echtgenoten!'

Ik zei: 'Zie je nou wel, dat je een roddelaar bent? Daarnet zei je nog dat je Dana zo geweldig vond.'

Maar volgens Artur heeft Dana twee kanten: een geweldige en een nare. En de nare Dana haat mannen zo erg dat ze ze vernietigt.

Waar heb ik dat eerder gehoord – van die twee kanten?

Ik zei koeltjes tegen Artur dat Dana mij zelf heeft verteld dat ze geen hekel heeft aan mannen.

Maar toen zei hij: 'Dus dan weet je ook van al die vaders en die nietsnut van een eerste echtgenoot?'

Daar schrok ik wel van. Hoe weet hij dat nou weer?

Artur begon ook nog over dat verhaal van Jeremiah over de heks Buig Fluister Huiver. Die heks houdt van de koning, maar toch vermoordt ze hem. Omdat ze van zichzelf wraak moet nemen voor wat alle heksen is overkomen tijdens de heksenjachten. Dana is volgens Artur ook zo'n soort heks.

Eén onpeilbaar moment zag ik Artur zoals hij zichzelf moest zien: een naamloze ridder van de Ronde Tafel die strijdt voor de waarheid. Misschien ben ik in zijn ogen wel een jonkvrouw, die door hem gered moet worden.

Maar dan is hij in de verkeerde eeuw geboren.

Zonder een woord te zeggen draaide ik me om en liep weg. Om het extra dramatisch te maken sloeg de wind de deur achter me keihard tegen zijn gezicht.

– 8 oktober –

En het was nog niet afgelopen!

Vandaag kwam de verhuisauto van Arturs familie. Zijn moeder huilde, maar Artur en zijn vader deden alsof ze enorm vrolijk waren.

Ik was de hele tijd raar zenuwachtig en toen die auto eindelijk wegreed, slaakte ik een diepe zucht.

Maar op dat moment kwam Elvie naar me toe en gaf me een opgevouwen papiertje.

'Van wie is het?' vroeg Bonnie.

'Een brief van Artur,' zei Elvie. En, kattig, tegen Bonnie: 'Voor Laura.'

Ik vouwde het papiertje open en verfrommelde het meteen weer. Er stond maar één zinnetje, in slordige blokletters.

Bonnie bleef me de hele tijd pesten met mijn 'liefdesbrief' en ze vond het kinderachtig dat ik haar niet wilde zeggen wat erin stond.

Maar het was geen liefdesbrief. Ik wou dat ik kon vergeten wat erin stond.

HET HUWELIJK VAN DANA EN STEVE VOND PLAATS TIJDENS HET NIEUWJAARSFEEST (HALLOWEEN)

Wat geniepig! Ik moet dit bespreken met:

1. Bonnie
2. Merlijn
3. Papa
4. Dana?
5. Mama?

– 9 oktober –

Vanmiddag kwam er een taxi. Er zat een lieve oude dame in, die elke zomer met haar man twee weken in het hotel logeert. Haar man had haar plotseling verlaten en ze was zonder erbij na te denken naar de plek gekomen waar ze altijd zo gelukkig was geweest. Of ze misschien mocht blijven, liefst zo lang mogelijk? Ze was vroeger vroedvrouw geweest, misschien kon ze meehelpen door straks op Fiona's baby te passen.

'Dat komt goed uit,' lachte Bonnie, 'er is net een kamer vrijgekomen.'
Ik moet haar nog vertellen van Artur, maar er zijn de hele tijd andere dingen te doen.

– 11 oktober –

Merlijn en ik zaten al een uur te kletsen en dropjes te eten op mijn bed, toen ik hem eindelijk durfde vragen of het waar is dat Dana haar echtgenoten vermoordt.

Merlijn sprong op alsof een wesp hem geprikt had en alle dropjes vielen op de grond.

'WAT?' riep hij.

Ik voelde me een stomme verrader toen ik hem alles van Artur vertelde.

Merlijn was echt heel erg boos. Vooral omdat Artur alles zo stiekem doet en dit soort dingen niet tegen hem of Dana durft te zeggen. En toen werd hij ook nog boos op mij, omdat ik het niet eerder verteld had!

Van schrik begon ik bijna te huilen en toen kwam Merlijn snel naar me toe en zei sorry sorry. Hij veegde iets van mijn wang, toch geen traan? En hij legde uit dat Artur natuurlijk zo'n verhaal verzint om maar niet te hoeven toegeven dat zijn ouders het leven in het hotel niet aankunnen.

Dat dacht ik natuurlijk al, maar ik vroeg voor de zekerheid: 'Wat konden ze dan niet aan?'

Merlijn zei: 'Alles. Onze manier van leven. Dat Dana de baas is. Dat wat zij vindt belangrijker is dan de mening van een of ander huisartsje.'

Hij keek me aan met vuur in zijn ogen. Een kusmoment. Maar ik moest toch nog één ding weten. Om papa. Ik moet weten wat er gebeurd is met die andere echtgenoten.

Merlijn stond weer op en zei: 'Dwayne is dood en Steve ook. En die andere twee konden het eenvoudig niet verdragen om getrouwd te zijn met zo'n beroemde en krachtige hogepriesteres als Dana.'

Ik vroeg of Merlijn dacht dat mijn vader dat dan wel zou kunnen verdragen en Merlijn zei ja, natuurlijk wel.

Maar hij keek me niet aan.

En hij kwam ook niet meer bij me zitten.

Hij mompelde iets over dat hij in de keuken moest helpen en ging er snel vandoor.

En ik bleef alleen achter met al die dropjes.

Bonnie was al niet veel beter. Die begon alleen maar keihard te lachen alsof ik haar een enorme mop vertelde. En misschien is dat ook wel zo.

– 13 oktober –

Het volgende gesprek vond plaats op 13 oktober om 13.30 uur (het is puur bijgeloof om bang te zijn voor het cijfer 13):

Laura: 'Waarom gaan jij en Dana eigenlijk trouwen? Het ging toch goed zoals het was?'

Papa: 'Ach, als je verliefd bent, doe je wel vaker onzinnige dingen. En toen deze prachtige vrouw mij vertelde hoe eenzaam ze zich altijd voelt rond deze tijd van het jaar, toen wilde ik niets liever dan haar blij maken. En als ik daarvoor halsoverkop met haar moet trouwen, dan doe ik dat.'

Laura: 'Eenzaam? Tegen mij zei ze dat ze duidelijkheid wilde naar de anderen.'

Papa: 'O. Nou ja... maakt dat iets uit?'

Laura: 'Is Dana niet te sterk voor jou?'

Papa: 'Wat dacht je van je eigen moeder?'

Laura: 'Ik had het over Dana. Merlijn zegt dat die andere echtgenoten haar niet aankonden.'

Papa: 'O ja?'

Laura: 'Geef nou antwoord. Denk je dat Dana te sterk voor jou is?'

Papa: 'Waar ben je bang voor? Dat ik vermorzeld word door die grote sterke Dana? Dana is gewoon een meisje. En ik ben een jongetje. We zijn allebei even belangrijk.'

Laura: 'Je bent geen jongetje, je bent een oude man. En ik vraag me af of Dana ook vindt dat jullie even belangrijk zijn.'

Papa: (grinnikt onnozel)

Laura: 'Papa! Wat denk jij dan dat er gebeurd is met die andere echtgenoten?'

Papa: (haalt zijn schouders op)

Laura: 'Dus jij weet zeker dat Dana je geen kwaad wil doen?'

Papa: 'Ach... dat zal toch niet?' (loopt weg, doet de deur van zijn kamer dicht en zorgt dat hij vooral niet naast mij zit tijdens het avondeten)

– 15 oktober –

Weer droomde ik over de borrelende toverketel van Cerridwen. Maar deze keer was Lugh de bewaker, niet Jeremiah. En de heks was Dana, die om de ketel danste als een bezeten toverkol. Ze zong een vreemd en machtig lied over de Godin.

'Haha!' Dana hief haar handen op naar de enorme gouden maan. Het landschap was leeg, ook zonder gras, alleen de toren van Dana stond er.

Ik was haar kamer in gezweefd als een geest. Alles was er vol van Dana. En ik moest wel kijken in de diepte van Dana's gouden ogen, waarachter een wereld lag die ontstellend en prachtig was. Het zweet brak me uit, in mij bonsde een Afrikaanse trom.

Want ik wist wat me te doen stond.

Dana wenkte al.

Eén druppel uit de ketel was genoeg. Of eigenlijk twee.

Dana zei: 'Kom, mijn dochter', en ik kwam. Sissend en brandend vielen de druppels op mijn ogen en verschroeiden het lid. Er was geen pijn.

'Haha!' Groot en machtig was ik nu. Ook mijn eigen ogen gaven licht in het donker, net als die van Dana. Ik kon overal kijken! Ik zweefde naar het raam en tuurde en tuurde...

Maar er was niets te zien. Heel langzaam maakte het machtige gevoel plaats voor iets anders: paniek. Er was NIETS! Traag maar onherroepelijk werd ik erdoor opgezogen, meegesleept in de donkere draaikolk van het niets...

Mijn zusje stond naast mijn bed in haar nachtjapon.

Ze vroeg of ik Elviepop soms wilde hebben en ik keek haar verward aan, nog helemaal in de ban van mijn droom.

Elvie zei dat ik had gehuild in mijn slaap en dat Elviepop mij kwam troosten.

Ik strekte mijn hand uit, maar toen zei Elvie dat zij dan ook in mijn bed verder moest slapen, want Elviepop kon niet zonder haar.

Zonder iets te zeggen sloeg ik mijn deken terug en daarna vielen we met z'n drieën in een droomloze slaap.

– 16 oktober–

Het is weer zover.

Dagboek opengeslagen aangetroffen.

Wie doet dat toch?

WIE LEEST DIT DAGBOEK?

– 17 oktober –

Over de Bloedmaan

Het was laat, de regen sloeg tegen de ramen en in de bibliotheek loeide het turfvuur. Van waxinelichtjes hadden ze een kring gemaakt. Dana was mooier dan ooit, in purper – het leek iets van Dolce & Gabbana. Maar ook hekseriger dan ooit, met gloeiende ogen en iets gekromde schouders. Ze danste, wij dansten allemaal. Brian had heftige filmmuziek uitgekozen, die de ruimte bloedrood kleurde en gaten brandde in het plafond. (Op dat moment dacht ik het nog raarder: het regent sterren. We proberen ze te vangen, we gooien ze naar elkaar toe als hete ballen, en als ze uit elkaar spatten lachen we erom en worden helemaal zilver van sterrenstof...)

En toen ineens: doodse stilte en Dana die boven een schaaltje water hing.

Ik keek verbaasd naar Bonnie en die fluisterde mij in mijn oor dat Dana aan het schouwen was. Ze schouwde in water.

Schouwen is een beeld van de toekomst proberen op te vangen. Het kan in vuur, in een spiegel of in water. Vuur is het moeilijkst, water is makkelijker, maar minder betrouwbaar. Het is echt hekserij voor gevorderden.

Iedereen staarde geconcentreerd naar Dana en ik probeerde haar zoveel mogelijk kracht te sturen. Ik fixeerde mijn ogen op de smalle rug. Dana's haar hing omlaag in lange slierten.

En toen zag ik ineens dwars erdoorheen het beeld van Dana die in Cerridwens ketel roerde. Haar ogen die recht in de mijne keken. Haar bezeten lach. 'Kom, mijn dochter...'

NEE!!!

Ik geloof niet dat ik het echt zei. Maar Dana hoorde het toch. Ze bleef onbeweeglijk staan en tegelijkertijd draaide ze zich om in een flits. En ze zag al mijn gedachten, ook de gedachten die ik zelf niet eens durfde te denken.

Ik weet niet hoe lang het duurde.

Toen Dana overeind kwam, was haar gezicht glad en onaangedaan. Haar haar viel soepel over haar schouder terug. Iedereen staarde naar haar en ze glimlachte. 'Dat was interessant,' zei ze.

Angelica vroeg wat iedereen dacht. 'Wat heb je gezien?'

Dana zei iets vaags over grote veranderingen, die ontstaan door de Bloedmaan. Ze gebaarde naar buiten. (Het is nu te koud voor de stenenkring.)

De nieuwe bewoonster, de oude dame die net is aangekomen, kon zich niet inhouden. Ze zei: 'En die veranderingen zag je gewoon in dat bakje?'

Dana's glimlach verbreedde zich en ze zei tegen de vrouw dat dit nog maar het tipje van de sluier was.

De vrouw, Clarissa heet ze, wilde weten wat voor verandering Dana dan precies had gezien.

Maar Dana zei dat ze zich daarover eerst zorgvuldig met de leiding moest beraden. En dat ze ons over twee weken, met Halloween, alles uitgebreid zou vertellen.

Toen werd de wijn ingeschonken door Angelica en Phoebe. De kring was afgelopen en verschillende mensen zeiden: '*Blessed be*' tegen elkaar.

Langzaam werden we weer gewoon. Gelach en geroezemoes vulde de ruimte. Wijn klokte in de glazen. *Op Dana. Op onze Dana!*

Alleen ik stond onbeweeglijk, nog steeds op mijn plek in de kring.

Even had ik een blik opgevangen van Dana die vast alleen voor mij was bedoeld. Daarvan waren alle haartjes van mijn hele lichaam rechtovereind gaan staan.

– 18 oktober –

Wat is Halloween?

Halloween is het heksen-nieuwjaarsfeest. Die nacht hoort niet bij het oude en ook nog niet bij het nieuwe jaar.

Het is een *niet-bestaande nacht*.

Betekenis:

De Zonnegod (die is doodgegaan toen het koren werd gemaaid) komt aan in de onderwereld, waar de geesten wonen. De grens met de onderwereld blijft de hele nacht open en de geesten zweven dus vrij rond en bezoeken hun verwanten. Je kunt voor de zekerheid wat eten voor ze neerzetten.

Het is dus een *griezelnacht*.

Heksen geloven dat elke overgang magisch is, dus ook Halloween. In die nacht werken spreuken en bezweringen het allerbeste.

Daarom is het ook een *tovernacht*.

Met Halloween versier je je huis, ga je heel erg lekker

eten en 's nachts doe je magisch werk in de heksenkring, bijvoorbeeld schouwen. Of... een huwelijk sluiten.

Vrees niet
De zwarte schaduw
En hoor niet wat hij zegt
Sta met elkaar
En toch alleen
Standvastig en oprecht
Onze macht
Is onbeperkt
Ik sta er middenin
Het oude jaar
Is nu voorbij
Elk eind een nieuw begin
De oude kracht
brengt deze nacht
Vol spreuken en magie
Godin, mijn lot
Laat het zo zijn
Ik smeek
So mote it be

Nog 13 nachten slapen!

– 19 oktober –

Langzaam maar zeker verandert het hotel in een schitterend spookhuis. Voor alle ramen hangen uitgeholde pompoenen met lichtjes erin (dat betekent elke dag pompoentaart, pompoenkoekjes, pompoensoep... eigenlijk heel vies). Aan de plafonds: draden van nepspinnenwebben met rubberen vleermuizen. Op de tafels: grote kandelaars met zwarte en oranje kaarsen en fruitschalen. In de fruitschalen: vijgen, granaatappels en tamme kastanjes.

Er staan zelfs bezems in de hal met herfstblaadjes eromheen. Juf Fiona zegt dat die 'het oude' moeten verjagen om plaats te maken voor 'het nieuwe'. En die griezeldingen zijn om de slechte geesten af te schrikken, die over de grens van de onderwereld kunnen komen.

Ik zei tegen Bonnie dat ik het nog steeds een beetje raar vind om een huwelijk te sluiten op het moment dat de liefde tussen de Godin en de Zonnegod juist voorbij is.

Over zes weken komt de Zonnegod weer uit de onderwereld tevoorschijn. Dan is hij eerst een baby, een soort kerstkind van de heksen. Maar de Zonnegod groeit snel, in mei is hij al volwassen. Dan ontmoet hij de Maangodin en ze worden verliefd tijdens de Walpurgisnacht, een oud feest.

Dat lijkt me een veel beter moment om te trouwen, maar Bonnie zei: 'Ach, dat is zo voorspelbaar. Iedereen trouwt met Walpurgis.'

– 21 oktober –

Net als Elvie wil ik ineens veel bij Jeremiah in de buurt zijn. Daarom hielp ik hem vandaag in de tuin met het opbinden van andijvie.

Eigenlijk haat ik tuinieren. Het is koud, er komt aarde onder je nagels en je krijgt kramp van het zitten in een ongemakkelijke houding.

Na een tijdje vroeg ik achteloos of Jeremiah de death cap kent, de dodelijke paddenstoel. Hij zei ja, natuurlijk. Dat had zijn moeder hem wel ingeprent. Volgens hem stikt het hier van de death caps. Ik vroeg of hij er nooit per ongeluk één had geplukt en naar de keuken had gebracht en hij zweeg beledigd.

Dus ik zei snel: 'Ja, ik weet het. Dat heeft je moeder je ingeprent.'

Toen begon Jeremiah ineens over míjn moeder. Dat Elvie haar zo mist en dat ze moet huilen als wij in de kring zijn en Jeremiah oppast. Dat weet ik natuurlijk wel, maar toch was het naar om te horen. Ik voelde me bijna schuldig, wat raar is, want het komt allemaal door mama. Omdat zij per se hartchirurg wil zijn, heeft ze geen tijd meer voor ons.

Dat zei ik ook tegen Jeremiah.

Maar Jeremiah zei dat ik haar moest vergeven. Dat ze altijd mijn moeder blijft. Letterlijk zei hij: 'Familiebloed is dik.'

Toen pakte hij een mand met gerooide aardappelen en liep weg zonder dag te zeggen.

Ik liep nog een stukje over de oprijlaan. Er stonden verschillende paddenstoelen, die allemaal op elkaar leken. Quizvraag: welke is de death cap?

Familiebloed is dik. Wat betekent dat? Dat ik niet Dana's stiefdochter kan zijn? Dat ik geen hogepriesteres kan worden? Ik hoor mijn moeder al lachen. 'Hogepriesteres! Je hebt te veel fantasie, Laura!' Maar die visoenen dan, die dromen? En wat Dana heeft gezegd?

'Onzin!' Mama weer, de boei die altijd op de golven blijft dansen in plaats van erdoor te worden meegesleurd.

– 23 oktober –

Bonnie heeft gezegd dat ze niet meer met mij wil praten als ik weer over die beschuldiging van Artur begin. Ze vindt het alleen maar geweldig dat Dana mijn stiefmoeder wordt. Maar dan denk ik steeds: en papa dan?

Ook Merlijn zegt dat ik erover op moet houden.

Ik vroeg wat ze zich dan herinneren van die andere echtgenoten.

Jacob kenden ze wel, daar was Dana drie jaar geleden mee getrouwd. Ze vonden hem grappig en vrolijk, maar volgens Bonnies moeder was hij wel een beetje jong. Jacob moest zijn studie nog afmaken en meteen na het huwelijk is hij weer naar Londen gegaan. Maar toen kwam hij niet meer terug! Het schijnt dat Dana hem nog is gaan zoeken, maar dat Jacob het studentenleven uiteindelijk toch leuker vond dan een leven in het Coven Hotel. Heel pijnlijk allemaal.

Toen zei Merlijn dat hij zich ook Steve nog herinnert. Hij zei: 'Dat was die ellende met die giftige paddenstoel. Zo dom van Jeremiah.'

Van Jeremiah?

'Ja, natuurlijk,' zei Merlijn, 'wie anders plukt hier de paddenstoelen? Het is echt ongelooflijk ruimhartig van Dana dat ze Jeremiah altijd is blijven beschermen.'

???

Ze hebben gelijk, ik moet hiermee stoppen. Ik maak mezelf helemaal gek.

– 24 oktober –

(nog 1 week voor Halloween)

De leiding heeft zich vandaag vrijwillig opgesloten in Dana's torenkamer. Ze gaan het huwelijk voorbereiden.

Ik zag Dana nog op de trap.

Omdat ik dacht aan wat er laatst in de kring was gebeurd, schrok ik een beetje. Maar Dana was zo gewoon, in een spijkerbroek en met een ontzettend mooie indianenketting om, dat ze meer op een ouder zusje leek dan op een of andere enge hogepriesteres.

Ik zei: 'Mooie ketting.'

En Dana zei: 'Dank je.'

Ze was al bijna boven (en ik beneden) toen ze me riep.

Ze zei dat het tijd voor mij werd om mijn heksennaam te weten.

Heb ik dat al eens uitgelegd? Bonnie heet eigenlijk Kim. En haar moeder heet Marijke. Phoebe en Bonnie zijn hun Keltische namen, die hebben ze van Dana gekregen. Phoebe is een erenaam voor de maan en Bonnie betekent 'knap, mooi'. Zo heeft elke naam hier een betekenis.

Dana keek naar me en zei: 'Ik weet het al een tijdje. Het is Morag.'

Morag? Dat klinkt als een soort science fiction-monster.

Dana lachte en zei dat ze het zelf een prachtige naam vond. Maar dat ik hem niet hoefde te gebruiken, alleen als ik wilde.

Ik heb het meteen opgezocht: het betekent 'prinses'.

Groeten van *Morag* (even kijken hoe dat staat).

– 29 oktober –

(nog 2 nachten voor Halloween/het huwelijk)
Godin, help me !!!

Het is drie uur in de nacht. Ik kan niet slapen, mijn pentagram brandt op mijn huid, maar ik durf mijn ketting niet af te doen.

Alles is door de war geschopt en dat komt door Ravi. Waarom ben ik hem achternagegaan naar Annies kroeg? Waarom heb ik hem die vreselijke vragen gesteld? En vooral: wat moet ik nu?

Laat ik proberen alles zo goed mogelijk op te schrijven.

Locatie: Annies kroeg, einde middag. Buiten kruipt een waterkoude avondschemering omlaag. Binnen zitten een paar mannen bij het turfvuur. Annie staat achter de bar zoals altijd, en aan de bar zit één eenzame klant: Ravi.

Ravi (kijkt opzij): 'Laura. Wat doe jij hier?'

Ik (blozend): 'Ik wilde je wat vragen.'

Ravi (onaangenaam verrast): 'Waarom?'

Ik (nog meer blozend): 'Omdat je mijn broer wordt. Halfbroer. We zitten in hetzelfde schuitje.'

Ravi zucht. Na een tijdje zegt hij dat het goed is. Hij zegt: 'Maar als ze er later naar vragen, heb ik jou niet gezien en jij mij ook niet. Is dat duidelijk, zusje?'

Ik schrik. Ik wil dit niet. Ik wil Morag zijn, de veelbelovende stiefdochter van Dana. Ik wil niet achter haar rug om achterdochtig rondsnuffelen als een Artur. Maar... ik kan papa niet aan zijn lot overlaten. Hij ligt al nachtenlang wakker, dat merk ik heus wel. Ik denk dat hij bang is. Maar met mij wil hij er niet over praten, juist met mij niet.

Dus ik vraag: 'Waarom wil Dana zo graag trouwen?'

Ravi: 'Omdat dat een afspiegeling is van het heilige huwelijk tussen de God en de Godin.'

Ik draai mijn rug naar Annie, die ongemerkt steeds een stapje dichterbij is gekomen en vraag: 'Maar waarom zo snel?'

Ravi: 'Omdat mijn moeder graag met nieuwjaar wil trouwen. Want dan is de Godin oppermachtig en de hogepriesteres ook.'

Annie giechelt.

Ik doe alsof ik het niet begrijp – alsof ik nog terug kan! En ik zeg tegen Ravi: 'Dus Dana wil de baas zijn. Wat betekent dat? Dat ze het eigenlijk niet verdraagt om getrouwd te zijn? Dan had Artur toch gelijk.'

Ravi zegt ijskoud: 'Natuurlijk had Artur gelijk.'

Laura: (geen tekst meer, ik begin overal te trillen, het voelt alsof ik met de achtbaan naar beneden stort)

Ravi: 'Kijk naar het pentagram om je nek. Stel je voor dat de punten van de ster staan voor lente, zomer, herfst en winter. Dat zijn er vier, maar er is nog een vijfde. De bovenste punt van het pentagram is voor Dana het belangrijkst. Die staat voor magische overheersing, voor macht. Morgen, in de nieuwjaarsnacht, is dat punt bereikt.'

Laura (fluisterstem): 'Artur zei ook dat Dana haar echtgenoten vermoordt.'

Ravi: 'Vermoordt... Zei hij dat? Dit is wat er volgens mij gebeurt: meteen na de ceremonie is er een besloten gedeelte, dat alleen voor de leiding en de echtgenoot toegankelijk is. Ik denk dat ze dan op een of andere manier zijn weerstand breken. Wat ze ook doen, de volgende dag is de echtgenoot altijd verdwenen.'

Laura: 'Hoezo verdwenen?'

Ravi (telt af op zijn vingers):

'– Adam: toen woonden we nog maar net in het hotel. Ik herinner me niks van die man; Brian weet nog dat hij altijd met hem ging voetballen, maar ook dat hij en Dana vreselijke ruzie hadden. Er was een huwelijk en daarna was Adam weg. Zomaar foetsie. Ik was te klein om daar iets achter te zoeken. Angelica en Phoebe waren er toen al, maar die zwijgen als het graf. Uiteindelijk kiezen zij altijd partij voor Dana.

– Steve: dat weet je al, die is overleden door het eten van een giftige paddenstoel tijdens het bruiloftsmaal.

– Jacob, de flierefluiter: die is zich volgens mij rot geschrokken en er midden in de nacht halsoverkop vandoor gegaan.'

Laura: 'En wie nog meer? O ja, jouw eigen vader.'

Ravi: 'Dwayne? Die heeft ze volgens mij gewoon doodgedacht.'

Laura: 'Wát?'

Annie: 'Hihihihi.'

Laura: 'Shut up.'

Ravi: 'Het is altijd hetzelfde liedje. De dag na het huwelijk is het hele hotel in de rouw. Het is één walgelijke poppenkast.'

Laura: 'Waar jij zelf ook aan mee doet!'

Ravi: 'Ik heb niet veel keus. Het is mijn moeder, Laura.'

Laura: 'Je kunt toch met haar praten.'

Ravi is nu zo dichtbij dat ik zijn donkere voortand kan zien glinsteren. Om het trillen tegen te houden moet ik er wel naar blijven kijken. Ravi zegt dat zijn moeder heel goed weet hoe hij erover denkt. Hij zegt: 'Vergis je niet, Dana is een briljante hogepriesteres. Ze weet alles. De kans is groot dat ze ook weet dat wij hier nu zitten.'

Ik draai me snel naar de deur. Hoe ver kan Dana kijken met die kattenogen van haar?

En er schiet me iets te binnen: wat heeft Dana toch voor gruwelijke dingen in het water gezien die met papa te maken hebben? Met papa, niet met mij... Ik herinner me de blik van Dana na het schouwen... o, Godin, nee! Niet papa!

Ravi: 'Het gaat vaak een lange tijd goed, maar dan wordt Dana onrustig en komt die vreemde gloed in haar ogen, die ik helaas zo goed ken. En, je zult het zien, precies op dat moment komt er een man op haar pad. Als zo'n man eenmaal vragen gaat stellen, is het mis. En dat gebeurt altijd, Laura. Dan... ik weet niet hoe ik het je moet uitleggen, maar Dana verandert; misschien is het zelfs wel Meredith die bezit van haar neemt. Er komt een glans over haar gezicht, ze wordt somberder en tegelijk vreemd opgewonden. Het is heel wonderlijk, niemand anders in het hotel lijkt het te zien, misschien wíllen ze het niet zien. Dana trouwt... en vernietigt de man in kwestie. Daarna is het weer een tijd rustig.'

Laura (hysterische gilstem): 'Ga dan van haar weg!'

Annie: 'Yes! Yes!'

'Shut up!' zeggen Ravi en ik tegelijk.

Ravi: 'Nee Laura, ik kan niet weggaan. Ik ben haar opvolger.'

Laura: 'Je hebt toch nog een broer?'

Ravi: 'Brian? Die stelt niks voor. Volgend jaar gaat hij studeren, dan vindt hij een of ander baantje en een of ander vrouwtje en dan is hij gelukkig. Hij is veel te dom om het Coven Hotel te leiden.'

Laura: 'Jij wilt het Coven Hotel leiden???'

Ravi: 'Ik ga Dana's werk voortzetten. Op mijn manier. Ik ben hier opgegroeid, Laura. Het Coven Hotel is mijn leven.'

Zijn leven, dat zegt hij. En hoe zit het dan met míjn leven? Het trillen wordt nu huilen, daar kan ik niks aan doen.

Ineens vloekt Ravi en ik zie Jeremiah, samen met Angus, de man van juf Fiona.

'Hé, Laura,' zegt Angus verbaasd.

Ik veeg snel mijn tranen weg en zeg: 'O Angus, wil je niet zeggen dat je me hier hebt gezien?'

'Wat is er aan de hand?' vraagt Angus en zijn ogen flitsen naar Ravi.

Ravi redt me. In één teug slaat hij zijn biertje achterover, als een echte Ier. Hij veegt het schuim weg met de rug van zijn hand. Hij staat op. Hij pakt me vast. Hij grijnst naar Angus: 'We willen toch niet dat ze problemen krijgt met haar vriendje?' En tegen mij zegt hij: 'Dag zusje. Ga maar gauw.' Hij zoent me! Voor ik begrijp wat er gebeurt, heeft Ravi zijn woorden bezegeld met een keiharde, tintelende kus op mijn mond.

Ook dat nog!

Mijn kaarsje is bijna opgebrand. Het donker dringt zich op en ik tril nog steeds als een gek.

Wat moet ik doen?

– 30 oktober –

(de dag voor Halloween)

Ik zit bij het vuur in de eetkamer. Om mij heen draait de

wereld gewoon door. Elvie zit aan tafel met Fiona ratels van gedroogde peulvruchten te maken, die sissen als geesten die uit de onderwereld komen.

Kermit heerst in de keuken. Vroeger werden nu de dieren geslacht voor de winter en nog steeds betekent Halloween vlees, veel vlees. Bonnie kookt kalfsjus, Brenna karamelliseert de uien voor bij de karbonaden, Myristica en Morgana roken de kip. En de nieuwe bewoner Clarissa, die vegetariër is, klopt kwark voor de pompoentaart. Merlijn is samen met Jeremiah hout aan het hakken voor een vuur dat de hele nacht moet branden. Allemaal heel gezellig en huiselijk, een fijne familiefilm voor heksen. Ik zit erbij en kijk ernaar.

Papa is op zijn kamer met een rood hoofd zijn geloften aan het schrijven, een soort speech voor het huwelijk. Hij wil niet met me praten, en zeker niet over Dana. Ik smeek en ik huil, maar hij luistert niet. Ik ken dat, daar is hij kampioen in – in niet-luisteren als er echt iets belangrijks aan de hand is, bedoel ik.

Ik heb geprobeerd mama te bellen. Ze zou thuis moeten zijn, maar ik kreeg een meisje aan de telefoon met een Duits accent. De nieuwe au pair. Het blijkt dat mama haar heeft aangehouden, ook al zijn Elvie en ik er niet. Ze zei dat ze Gertrud heet en dat ze voor mama kookt en het huis opruimt. (Wat valt er op te ruimen als wij er niet zijn?)

Ik vroeg naar mama en Gertrud zei: 'Ach, dat spijt me. Je moeder is nicht hier.'

Ik: 'Waar is ze dan? Het is herfstvakantie, ze zou thuis zijn.'

Gertrud: 'Ja, doch. Ze zit de hele tijd achter de computer.

Maar gisteren staat ze plotseling op. Ik denk, het is een spoedgeval. Ze zegt, het kan een paar dagen duren, en ze stapt in de auto. Jetzt weet ik nicht welche boodschappen ik voor haar moet doen.'

Ik: 'Zei ze niet waar ze heen ging? Ze laat altijd het adres van haar hotel achter op het prikbord in de keuken.'

'Prik-bord?' zei Gertrud peinzend.

'Laat maar.' Ik heb gezegd dat ze, als ze mama spreekt, moet doorgeven dat ze mij METEEN moet bellen. En Gertrud zei: 'Gut, gut, natürlich.'

– 31 oktober –

Halloween (overdag)

Vanmorgen bij het ontbijt een laatste poging gedaan om met papa te praten.

Ik wachtte hem op met thee en sodabrood, maar hij was misselijk, zei hij.

Ik schrok en vroeg wat hij gegeten had. Maar hij had alleen maar thee gedronken.

Kermit zette een bord met gebakken eieren bij papa neer. Hij had de randen ervan versierd met rozenblaadjes.

Papa grijnsde ongelukkig en zei: 'Ik zal blij zijn als het achter de rug is.'

Kermit schudde misprijzend zijn hoofd en verdween weer naar de keuken.

Terwijl papa de rozenblaadjes liefdeloos van zijn bord veegde, begon ik heel rustig en gedetailleerd te vertellen wat ik allemaal van Ravi had gehoord. Ik vertelde alles.

Toen ik eindelijk uitgesproken was, bleef het stil. Papa rook aan zijn ei. Hij viste een rozenblaadje uit het geel en bekeek het aandachtig.

Ik zei: 'Je kunt er nog vanaf, pap.'

'Zou dat ei wel goed zijn?' vroeg papa.

'PAPA!'

'Misschien moet ik het maar niet opeten. Voor de zekerheid.'

Ik begon weer te huilen, daar ben ik deze dagen kampioen in. Uit mijn ooghoek zag ik dat Fiona en Angus, die iets verderop zaten te ontbijten, nieuwsgierig naar ons keken. En alsof hij mijn verraad had gehoord, kwam juist op dat moment Ravi binnen.

Papa, die nog steeds zat te kijken alsof er een buitenaards wezen was neergedaald in zijn ei, zei: 'Ravi, je hebt mijn dochter bang gemaakt. Vind je werkelijk dat ik niet met je moeder moet trouwen?'

Ik hield mijn adem in.

Maar Ravi bromde: 'Iedereen moet doen wat hij zelf wil.' Hij liep naar de tafel van de leiding en schonk zichzelf een kop koffie in.

Ik snikte iets over Dwayne en Steve en al die andere mannen en Fiona begon zich ermee te bemoeien. 'Ik weet zeker dat het met jouw vader heel anders zal gaan.'

'Natuurlijk,' zei papa zogenaamd vrolijk, 'daar zorg ik heus wel voor, Laura.'

'Maar dat is precies het probleem...' Ik keek hulpzoekend naar Ravi, die snel langs mij heen liep met zijn koffie in zijn hand. Papa en Fiona en Angus volgden mijn blik.

Met een zucht bleef Ravi staan. 'Luister naar je vader, Laura. En val mij niet langer lastig.'

Vanmiddag is er een griezelpartijtje op het kerkhof voor alle kinderen uit de buurt. De rest van de ochtend hielp ik

Fiona met de voorbereidingen. Wat moest ik anders? Ik zit nu eenmaal in deze film... (kon ik hem maar een stukje doorspoelen).

13.00 uur.

'Hallo Laura. Happy Halloween.' Dana! In een lange zwarte jurk, die net zo blauwachtig glansde als haar mooie haar. Haar hele gezicht straalde en haar kracht hing bijna tastbaar in de lucht.

Ze bleef recht voor me staan en tot mijn schrik begon ik te blozen en te blozen.

Las Dana mijn gedachten? Zag ze het gesprek met papa? Het gesprek met Ravi? Dan zag ze ook dat ik, ondanks alles, nog steeds blij was haar te zien. Omdat ze zo onvoorstelbaar mooi is. En omdat er niemand, niemand op de hele wereld zo naar mij kijkt als zij.

Ik zei heel zacht: 'Ik snap het niet meer.'

'Dat geeft niet,' zei Dana vriendelijk. Haar ogen waren vandaag karamelkleurig en omvatten alles in de kamer en ver daarbuiten. Dit wordt mijn stiefmoeder, dacht ik. Kan deze prachtige, sterke vrouw zich werkelijk verlagen tot het vernietigen van een ander mens? Of heeft Annie mij betoverd en zie ik alles binnenstebuiten?

Dana zei: 'Ik ben Cerridwen niet, Laura. Er gebeurt niks wat jij niet wilt.'

Mijn hart begon te bonken. Ik had niemand over mijn nachtmerrie van Cerridwen verteld, alleen dit dagboek.

'Dit lijkt wel mijn droom. Wat weet jij daarvan?'

Dana glimlachte. 'Met Halloween weet je nooit of je droomt of wakker bent. Dat hoort een beetje bij het feest. Morgen is alles anders, vertrouw me.'

Ik staarde haar aan. Even aaide ze met de rug van haar hand langs mijn wang. Heel zacht, het kietelde. Toen schreed ze langs me heen en ging zitten aan de tafel van de leiding. Onmiddellijk dromden er allerlei mensen om haar heen. Dana was al dagen amper uit haar torenkamer gekomen en iedereen wilde haar van alles vragen. Dana overlegde, stelde gerust, maakte grapjes en hakte knopen door. De hele ruimte zinderde en Dana besteedde geen moment aandacht meer aan mij.

Dat was eigenlijk nog het allerergste.

14.00 uur

Elvie moet een middagslaapje doen en ze wil niet. Maar anders kan ze vanavond niet opblijven tijdens de handvasting. Niet dat ze dat zelf wil trouwens. Ze zegt: 'Ze mogen papa niet vastbinden met zijn handen.'

Ze zegt dat ze naar mama wil.

En als dat niet kan, dan maar naar Jeremiah.

15.00 uur

Elvie slaapt in mijn bed. Ik lig ernaast in mijn dagboek te schrijven.

Over een uur moeten we naar het kinderpartijtje.

Ik ben moe. Vannacht weinig geslapen. In plaats daarvan heb ik allemaal woeste ontsnappingsplannen gemaakt. Nu, in deze stille, fijne kamer, lijkt dat me een beetje vreemd. Dana is toch geen monster?

En Bonnie ook niet. Angelica, Lugh, Phoebe, Fiona... en Merlijn al helemaal niet!

En papa is toch niet gek?

Misschien moet ik op een of andere manier het besloten

deel van de ceremonie verstoren. Net als die ene keer bij de meditatiedag. Dan kan papa wel trouwen, maar het slechte (als dat al gebeurt!) wordt onderbroken.

Zo moet het. Ravi moet me helpen. En dan komt het allemaal goed.

Elvie ademt heel rustig en diep.

Ik doe ook even mijn ogen dicht.

Halloween (vervolg)

Ik schrok wakker met het ellendige gevoel dat de tijd mij had ingehaald.

Ik sleurde Elvie uit bed. Juf Fiona had speciaal voor vandaag een heksenjurkje voor haar genaaid, maar natuurlijk wilde ze dat niet aan. Zodat ik uiteindelijk met een prinses (prinsessenjurk en daaroverheen blauw ski-jack) op het kerkhof aankwam.

Jeremiah had het hoge gras weggeknipt zodat je tussen de zerken kon rondlopen. De lucht was zwaarbewolkt, en daardoor gaven de uitgeholde pompoenen die overal hingen extra fel licht. Voor een van de ramen van het kerkje brandde een dapper kaarsje. Maar het meeste licht kwam van de tientallen fakkels, die in een grote kring waren gezet. Een platte grafsteen diende als tafel en daarop stonden schalen vol karamelappels en chocoladecakejes. Brian en Ravi stonden bij een barbecue maïskolven en kip te roosteren.

De buurtbewoners liepen rond met een mengeling van bewondering en achterdocht, hun kinderen stevig aan de hand. Ze mompelden zachtjes en wezen elkaar op de kerk en de grafstenen. De kinderen, verkleed als spookjes en vampiers, konden hun ogen niet afhouden van de grote steen met cake en verleidelijk glanzende appels.

Daar kwam Lugh al aan, precies op het goede moment, met een blad vol bekers warme wijn. De geur van kruidnagel en kaneel dampte om hem heen. Zijn baard wapperde hem af en toe in het gezicht en dan streek hij hem, zachte verontschuldigingen mompelend, opzij.

'Have some wine, please. Happy Halloween. Welcome, welcome.'

De ene na de andere buurtbewoner ging overstag. Ze pakten een beker in beide handen en lieten hun kind los. Niet veel later zag ik de eerste ouders met een kippenpootje.

Er waren kinderspelletjes, onder leiding van juf Fiona en de tweeling. Angus, Fiona's man, was verkleed als duivel. Zelfs Elvie deed mee.

Ik zei tegen Bonnie dat die fakkels zo mooi in een cirkel stonden, net als bij een heksenkring en ze zei doodleuk dat de ceremonie hier straks ook plaatsvindt. Op het kerkhof! Mijn vader gaat trouwen op een kerhof!

Ik ging het graf zoeken van Annies man. Jeremiah had het voor de gelegenheid helemaal schoongeschrobd. Er stond:

R.I.P. Aidan Quinn. 1950 – 1994.

Ik riep Bonnie erbij. 'Kijk nou. Wij dachten steeds dat er 1920 stond, maar die 2 was eigenlijk een 5.'

'Nou en?'

'Aidan Quinn was vierenveertig jaar toen hij overleed. Hij was Annies man helemaal niet! Eerder haar zoon. Dan was hij waarschijnlijk toch een van de echtgenoten van Meredith, misschien wel de laatste.'

Bonnie keek me aan met een vermoeide blik. Toen draaide ze zich om en liep weg.

Na een uurtje begon het zachtjes te regenen.

Elvie drentelde om me heen. Ze had het koud. Ze vond de kerk eng. Ze had honger. Gelukkig nam Fiona haar mee naar het hotel, zodat ik onopvallend kon achterblijven bij Ravi.

Hij liep samen met Brian terug, al kletsend over bands en dj's, en leek mij niet te zien.

Toen het verlichte hotel opdoemde uit de mist, greep ik mijn kans. Plompverloren vroeg ik of ik Ravi even kon spreken. Ravi keek boos, Brian nieuwsgierig. Toen knipoogde hij naar zijn broer en ging naar binnen.

'Heel even maar,' zei ik tegen Ravi.

Hij keek me niet aan. 'Ik heb geen zin om door jou nog meer problemen te krijgen.'

Hoezo, nog meer problemen?

Haastig begon ik mijn plan uit te leggen. Dat we de ceremonie zouden verstoren, net als bij de meditatiedag. Maar Ravi wilde er niets van weten, hoe ik ook smeekte. Hij zei 'Dat was niet de afspraak, Laura.'

En daarna liep hij gewoon door, omdat hij niet te laat wilde komen voor het diner.

Dat geloof je toch niet! Ik bedoel, mijn vader is in gevaar en Dana's zoon is alleen maar bang om te laat te komen voor het eten.

'Precies,' zei Ravi nuchter.

Ik dacht dat ik gek werd.

'WACHT!' Hoe ik het durfde, weet ik nog steeds niet. Maar ik dacht iets als: misschien kan ik hem raken met zijn eigen wapens. Dus ik rende naar voren en greep Ravi stevig vast. Hij keek heel verbaasd toen ik hem hard begon te zoenen, op zijn halfopen mond, precies op die donkere tand, en overal.

En hij zoende me terug, onmiddellijk.

Heel even stond het beeld stil. *Freeze*.

Toen maakte Ravi zich zacht maar beslist van mij los. Hij keek me lief aan en zei: 'Je moet in de kerk zijn, Laura.'

'In de kerk?' Vond hij dat ik boete moest doen of zo? Toen begreep ik het. Het oude kerkje, dat bij het kerkhof staat! Waarvan de deur altijd op slot is.

Ravi zei nog: 'Daar vindt het plaats, de besloten ceremonie. En daar zul je antwoord krijgen op je vragen.'

Ik wilde zeggen dat het kerkje niet toegankelijk is. Maar toen herinnerde ik me iets: het kaarsje. *Er had een kaars gebrand voor een van de ramen van de kerk.*

De hal was warm en vol kruidige geuren. Ik liep dwars door de herfstblaadjes, langs de bezems, de sleutels (de sleutels!) en de bengelende vleermuizen naar de eetzaal.

Verhit en verwilderd stormde ik naar binnen. Bonnie merkte niets. Ze zei vriendelijk: 'Ik heb een plekje voor je vrijgehouden.'

Ik ging zitten. De tafels puilden uit van het meest fantastische eten. Iedereen was er. Merlijn, met pasgewassen haar. Papa, met een erg rood hoofd. Elvie, die stiekem een hele aardappel in één keer in haar mond stopte. Dana. De tafel van de hotelleiding zag er een beetje sinister uit, omdat iedereen in het zwart gekleed was. Er stond een grote koperen kandelaar op, waarin donkerpaarse kaarsen brandden.

Plotseling werd het stil. Dana stond op. Haar gezicht was mooi in het flakkerende licht toen ze op plechtige toon een soort gebed zei. Of was het een spreuk?

'Aarde water lucht en vuur
Geef ons kracht het komend uur
Licht en donker, zon en maan
Geef ons de moed te blijven staan.
Laat de dode zielen vrij
Oude geesten sta ons bij!'

Geef ons kracht, dacht ik, geef mij kracht.

Het was warm. Het eten rook bedwelmend. Mijn blik kruiste die van Clarissa. De oude dame, die naast Lugh zat alsof dat al jaren haar vaste plek was, gebaarde streng dat ik naar Dana moest blijven kijken.

'*So mote it be.*'

Stoelen die verschoven werden, getik van bestek en kristallen glazen, de te harde lach van Lugh.

Iemand schepte mijn bord vol. Er vormde zich een bergje bloederig vlees, zwarte uien, druipend van de jus, een klodder room.

'Sorry,' hoorde ik mezelf zeggen, 'ik moet nog even naar de wc.'

'Schiet op dan,' zei Bonnie.

Mijn benen strekten zich, mijn stoel schoof piepend naar achteren, mijn schoenen klosten over de vloer. Ik ging de eetkamer uit, dwars door de stille gang, naar de hal.

Daar hingen alle sleutels, gewoon voor het grijpen. Ik pakte de kleine zilveren sleutel met het kaartje waar 'kerk' op stond.

Buiten was het inmiddels helemaal donker. Ik begon te rennen, de sleutel brandde tussen mijn vingers. De lichtjes van de fakkels schenen me al van verre tegemoet. Daar was het kerkhof, de kerk.

Mijn vingers trilden zo, dat ik het slot bijna niet open kreeg.

Binnen was het fijn rustig. Windstil, zelfs een beetje warm. Een paar kaarsjes gaven vriendelijk licht. Door de kleine raampjes en de aarden vloer leek het meer op een schuilkelder dan een kerk. Iemand, waarschijnlijk Lugh, had alles al klaargezet. Vijf grote houten stoelen stonden er, als de vijf punten van een pentagram. Zwarte kaarsen, water, zout en wierook op het altaar.

Ineens merkte ik dat ik op iets hards stond. Vlak voor het altaar waren vier platte stukken steen in de grond gemetseld, elk van zo'n twee meter lang. Je kent het wel: zo liggen in oude kerken vaak de heiligen begraven, alleen is dan de vloer overal dicht.

Zonder erover na te denken, wist ik dat ik het gevonden had. Alle haartjes op mijn armen gingen rechtovereind staan. 'Dan is er toverkracht in het spel,' zou de oude Jeremiah zeggen. Ik stapte opzij.

Er stonden namen op de stenen gegraveerd.

Dwayne

Adam

Steve

Jacob

Ik keek om me heen en zag de vijfde steen. Het was de altaartafel.

Nacht

De meeste mensen waren druk aan het praten, maar papa keek onmiddellijk op toen ik binnenstormde en zei dat hij NU mee moest komen. Hij was zo perplex dat hij meteen opstond.

Bonnie vroeg: 'Waar gaan jullie heen?'

Ik vroeg of ze me wilde dekken omdat ik echt nog even weg moest. Zonder haar reactie af te wachten en zonder te kijken wie er nog meer zagen dat we de eetzaal uit gingen, trok ik papa mee naar de gang. Ik gaf hem zijn jas, die hij zonder iets te zeggen aantrok.

We waren al bijna in de hal, toen Elvie achter ons aan kwam. Papa stuurde haar terug naar Fiona maar ik zei nee. Anders zou het nog meer opvallen dat wij weg waren. Papa schudde zijn hoofd, maar nu was ik de baas.

Voor de derde keer die dag haastte ik me naar het kerkhof. Papa en Elvie kwamen op een sukkeldrafje achter me aan, Elvie struikelend over haar lange jurk.

Papa bleef abrupt staan toen hij zag dat ik de deur had opengemaakt. Hij keek me geschrokken aan, maar ik zei dat hij het gauw zou begrijpen.

Als een klein jongetje dat voor het eerst op school komt, schuifelde papa de kerk in. Elvie pakte zijn hand. Ze was doodsbang.

Papa keek goedkeurend om zich heen en mompelde wat over fraaie oude kerkjes die nog niet zijn verpest door tierelantijnen.

Maar ik wees alleen maar naar de zerken op de grond.

Nu ik er weer voor stond, werd ik pas echt bang. Alsof de eerste keer alleen maar een droom was geweest.

Langzaam liep papa naar voren. Elvie maakte haar hand los uit de zijne en rende naar mij toe.

Papa bukte zich. 'Dwayne,' mompelde hij, 'Adam, Steve, Jacob.'

'Er is ook nog een vijfde steen,' fluisterde ik, 'maar die is nog niet gegraveerd.'

Elvie en ik stonden doodstil. En langzaam, heel langzaam kwam papa overeind. Zijn armen hingen slap omlaag. De kraag van zijn jas was in elkaar gefrommeld boven zijn iets ingezakte rug. Aan die rug zag ik dat hij het begreep. Eindelijk.

Het duurde erg lang voor hij zich omdraaide.

'Aha,' zei hij. De vrolijke fonkel in zijn ogen was uitgedoofd. En ik voelde het begin van een heel groot verdriet opkomen. Wat had ik gedaan? Ik kneep de hand van Elvie bijna fijn.

Elvie jammerde zachtjes, maar ineens werd ze doodstil. Meteen daarop zag ik papa zijn ogen opensperren. Ik volgde zijn blik.

Het was Dana. Groot en onbeweeglijk stond ze in de deuropening. Naast haar stonden Angelica, Lugh en Phoebe. Vier stille zwarte gedaanten met bleke gezichten. Hoe lang stonden ze daar al?

Mijn eerste gedachte was: vlucht, ren voor je leven!

Maar hoe? Die vier stonden voor de enige deur. En zelfs als we alle drie keihard zouden gillen, hoorde niemand ons buiten deze kerk.

In de val!

Ik trok Elvie heel dicht tegen me aan en probeerde naar papa toe te gaan. Dus dit was doodsangst: de smaak van metaal in je mond en een lichaam dat zo erg trilde dat je niet eens meer normaal kon lopen. Ineens merkte ik dat ik keihard klappertandde en ik voelde overal weer kippenvel opkomen.

Toen was Dana in mijn hoofd. Haar stem zei: 'Laura, o

Laura, je hebt de deur geopend...' Er was een soort echo: *...de deur geopend... de deur geopend...* Ik wilde mijn handen wel voor mijn oren slaan.

Dana's gezicht stond ondoorgrondelijk, maar haar stem in mijn hoofd was vol verdriet en vroeg waarom ik dit gedaan had.

Ik kon geen woord uitbrengen.

Dana ging maar door. Ze had het over vertrouwen en eerlijkheid. Ze noemde me Morag, haar enige dochter. En ze vroeg – nee, ze smeekte om uitleg.

Elvie keek van mij naar Dana en weer naar mij. Hoorde zij Dana ook?

Eindelijk opende ik mijn mond. Ik zei – en het kwam er heel raar uit – dat ik niets anders had gekund omdat ze papa wilden vermoorden.

Dana schudde haar hoofd en Angelica reageerde onmiddellijk. Ze zei met haar lieve stem dat ik mezelf wel heel vreemde dingen in mijn hoofd had gehaald.

'En die grafzerken dan?' vroeg ik.

Maar volgens Angelica moest ik dat symbolisch zien. Het huwelijk was immers een overgangsritueel. Als hij trouwt, begint er een nieuw leven voor papa en dan nemen ze afscheid van hem zoals hij vroeger was. Die steen markeert dat afscheid.

Lugh en Phoebe zeiden niks. Ze keken allebei naar me, Lugh zacht en vriendelijk, Phoebe streng en koud.

In mijn hoofd klonk intussen nog steeds de stem van Dana. Ze fluisterde dat ze zoveel voor me in petto had, dat ze me zoveel had willen leren... Ze was zo verdrietig...

En in een flits zag ik de rest van mijn leven zonder Dana voor me. Een saai leven, een onopvallende Laura. Ik was een prachtige exotische bloem die ineens – knak – geplukt is. Dood.

Toen werd het heel stil in mij.

Op dat moment zei papa: 'Symbolisch of niet, dat maakt mij eigenlijk niet meer uit.'

Dana keek voor het eerst naar hem. Met een koele stem vroeg ze wat hij bedoelde.

Papa mompelde dat hij zich niet liet gebruiken voor een of ander duister ritueel. Dana zei dat dat nu eenmaal hoorde bij een handvasting. Papa zei, nog steeds zonder haar aan te kijken: 'Dat beslis jij. Heb ik daar ook nog iets over te zeggen?'

Plotseling vlamde er iets gevaarlijks in Dana's ogen en ik moest denken aan de woorden van Ravi: *een vreemde glans, alsof Meredith zelf bezit van haar neemt...*

Ze vroeg papa: 'Wie denk jij eigenlijk wel dat je bent?' en papa zei: 'Je man – tot voor kort dan.'

Alsof iets heel moois in duizend stukjes viel.

Dana vertrok haar gezicht. Lelijk, gemarteld.

Angelica en Phoebe schoven meteen naar haar toe. Phoebe was nog nooit zo mooi geweest, een en al liefde.

Lughs blik daarentegen was alleen maar onthutst, bijna onnozel. Een seniele oude man, waarom had ik dat niet eerder gezien?

De stilte in de kerk was oorverdovend. Zelfs de wind was gaan liggen. Elvies lijfje bibberde tegen mij aan. O, Elvie!

Godin, dacht ik met alle kracht die in mij was, als u bestaat, help mij dan. Niet Dana, maar mij. Ik doe alles voor u, als u ons redt uit deze kerk. Zie ze daar nou staan. Vier zwarte wraakengelen. We hebben het belangrijkste feest van het jaar verpest en ook hun geheime huwelijksceremonie. Wat betekent dat, wat gaan ze met ons doen?

Godin?

HELP ONS!

Was het de maan?

Achter de vier gestalten was een licht te zien. Het slingerde heen en weer, verdween even en kwam toen dichterbij.

Een gevallen ster?

Elvie wees met haar vingertje.

De vier zwarte gedaanten draaiden zich bijna tegelijk om.

Het leek wel... een zaklantaarn. Er kwam iemand aan met een zaklantaarn. Was het Bonnie? Jeremiah?

De persoon liep met grote stappen.

'Hallo?' riep een stem. 'Waar zijn jullie? Laura? Elvie?'

Lugh en Phoebe stapten opzij en op dat moment rukte Elvie zich van mij los.

Ik probeerde haar nog tegen te houden, maar ze was de kerk al uit, door de deur naar buiten, recht op de onbekende af.

Papa en ik keken elkaar eindelijk aan.

'Volgens mij is dat...' begon papa.

'Dat lijkt wel...' fluisterde ik.

En buiten schreeuwde Elvie heel hard: 'Mama!'

Vanuit een andere tijd en een andere wereld stapte mama de kerk in. Elvie klemde zich met al haar kracht aan haar vast.

'Hallo, vreemdeling,' zei papa verlegen.

Mama keek verbaasd om zich heen.

Ze zag er ongelooflijk gewoon uit. Eigenlijk alsof ik haar gisteren nog had gezien. Zelfs haar bruine bergschoenen met de kale neuzen waren nog dezelfde. En van een afstand kon je nog haar geruststellende ziekenhuisgeur ruiken. De heerlijkste geur die er bestaat!

Mama staarde nog steeds van papa en mij naar het altaar en vervolgens naar de deur waar de hotelleiding stond in hun lange gewaden. Toen zei ze langzaam: 'Ik geloof dat dit niet het moment is voor vragen.'

'Mam,' zei ik zacht, 'hoe kom je hier?'

Meteen lachte ze haar grootste mama-glimlach naar me en ik smolt van liefde voor haar. Mama!

Ze zei dat ze een vreselijk bericht had gekregen. Een collega had gezegd dat Elvie hier wegkwijnde.

Selma natuurlijk.

Mama was in de auto gestapt en in één ruk naar het Coven Hotel gereden.

'Mama,' zei Elvie, 'mag ik nu naar huis?'

Mama keek naar papa. Ze vroeg of het huwelijk nog doorging.

Ik hield mijn adem in, maar papa schudde zijn hoofd.

Mama knikte kort. 'Papa moet nog veel leren, denk ik,' zei ze tegen Elvie en mij.

Daarna stelde ze voor meteen te vertrekken en papa zei: 'Eh... geen probleem.'

Mama zei dat we dan maar gauw onze spullen moesten gaan ophalen. Ze draaide zich om naar de leiding die nog steeds zwijgend bij de deur stond. Hun blikken naar haar waren dodelijk, maar mama liep langs hen alsof het etalagepoppen waren. 'Neem me niet kwalijk,' zei ze en met Elvie in haar armen stapte ze kordaat naar buiten.

Papa volgde haar razendsnel. Dana zei zacht iets tegen hem toen hij haar passeerde, maar papa schudde zijn hoofd. Hij keek haar zelfs niet aan.

Toen stond alleen ik er nog. Bang was ik niet meer. Angelica en Lugh zagen er ontredderd en treurig uit en ik wilde niets liever dan hen in de armen vliegen. Maar dat durfde ik niet.

Uiteindelijk mompelde ik dat ik maar met mijn vader meeging.

'Natuurlijk,' zei Angelica. Ze kwam naar voren en kuste me op mijn voorhoofd. 'Het spijt me zo, liefje, dat jullie uit de kring gaan.'

Uit De Kring. Dus zo voelt dat. Die ochtend, zelfs die middag, had ik nog van niets geweten en nu was ik ineens een drop-out.

Een kus van Lugh, een koele kus van Phoebe.

Ik liep naar Dana.

Maar er kwam geen omhelzing. In plaats daarvan draaide Dana zich om en zei rustig tegen Lugh dat hij de anderen moest gaan halen omdat het tijd was voor de nieuwjaarsceremonie.

Ik zei: 'Dana? Het spijt me, Dana.'

Maar alsof ik onzichtbaar was, liep ze langs mij naar de cirkel van vlammen op het kerkhof.

Even bleef ik verpletterd staan. Toen hoorde ik in de verte de stem van Elvie: 'Laura, kom!'

En daarna

Nog nooit heeft iemand zo snel zijn koffers gepakt. Vuile kleren, schone kleren, schriften, sieraden, tandenborstels en stukken zeep, alles werd in tassen en koffers gesmeten en, toen die vol waren, gewoon in de achterbak van mama's auto.

Bonnie stond buiten te huilen. Ze zei dat ze er niks van begreep. Ik probeerde het haar uit te leggen, maar toen raakte ik zelf ook helemaal in de war. Algauw stonden we allebei te snikken. Geloof me, er is niks zo verdrietig als huilende sterrenogen.

Ik vroeg Bonnie of we wel vriendinnen bleven en ze zei : 'Natuurlijk.'

Ze zei ook dat ik altijd een heks zal blijven. En dat je uit een kring nooit écht kunt weggaan.

Ik zocht Ravi. Ik zag hem niet en Merlijn ook niet. Het groepje mensen voor het hotel was ineens heel klein geworden.

Kermit de kok was er nog wel. Hij grijnsde en zei: 'Ze zijn allemaal weg, schat.'

'Waarheen?'

'Naar het kerkhof natuurlijk.'

Zonder afscheid te nemen!

Bonnie keek zenuwachtig om zich heen. 'Dan ga ik ook maar.' Ze draaide zich snel om.

Op hetzelfde moment riep mama dat ik moest opschieten, maar ik rende ineens het hotel weer in.

De deur (pentagram).

De sleutels (één ontbrak).

De trap op, langs mijn kamer (die mijn kamer niet meer was).

De kamer van Merlijn. Licht. Pen & papier.

Jij en ik
Altijd
En nu

Het gedicht dat hij nooit had gelezen. Ik tekende er snel een hartje onder in plaats van mijn naam en legde het papiertje op het kussen.

Merlijn zou dit briefje vannacht vinden. Hij zou aan mij denken. Hij zou weten dat ik van hem hield. Dat was goed.

Toen wankelde ik. Ik begroef mijn gezicht in de omgewoelde dekens. Het rook naar Merlijn – of beter gezegd, het rook naar de bloemenmengsels van zijn moeder. Merlijn, Merlijn!

Buiten toeterde een auto.

Jeremiah was bij de stal, maar ik liep meteen naar Vanilla.

Nog één aai over de zachte neus. Wang tegen flank. Dag Vanilla, ik zal je nooit vergeten.

Paardenkus.

Jeremiah leek niet eens verbaasd. Hij nam mijn gezicht tussen zijn ruwe handen en zei: '*Merry meet and merry part, and merry meet again.*'

De heksengroet.

Daar gingen we, als dieven in de nacht.

Nu zou ik nog terug kunnen – en nu – en nu.

Het hobbelpad door de weilanden. De kroeg van Annie. Knibbel knabbel knuisje, ben je daar, Annie? Niet dat het iets uitmaakt, maar je had toch gelijk.

Mama zette de verwarming van de auto heel erg hoog en prompt viel Elvie in slaap met Elviepop als kussen. Papa zat nog een tijd stil door het raam te staren, maar uiteindelijk zag ik ook zijn hoofd opzij zakken.

Mama reed langzaam langs de kleine dorpen. Aan de andere kant van het raam trok in het donker een stoet van spoken, duivels en vampiers voorbij. Het was nog steeds Halloween. Overal zag je lichtjes van uitgeholde pompoenen. Soms verscheen een grijnzend doodshoofd voor het raam of de witgeschminkte kop van een dronken Ierse jongen op weg naar de kroeg. Er waren erg veel heksen.

En nu zijn we in Dublin aan het wachten op de eerste boot. Papa en Elvie slapen nog steeds. Mama staat buiten over het donkere water te staren, hoewel het ijskoud is.

En ik zit naast Elvie bij het licht van een zaklantaarn in dit dagboek te schrijven. Al uren. Mama kijkt af en toe even naar me, maar is zo verstandig om geen gesprek te beginnen. Ze heeft alleen een zak drop bij me neergelegd, dat is wel lief.

Ik heb nog steeds kippenvel en ik tril (vandaar die rare beverige letters). Maar ik MOET precies opschrijven hoe alles is gegaan. Ik mag niks kwijtraken. En ik wil ook niet ophouden met schrijven, want dan is het pas echt afgelopen.

Met dank aan

Alle heksen, echt en cyber, van wie ik heel veel heb geleerd over wicca.

Jerry, die verdacht veel lijkt op Jeremiah. Sarah, met wie ik in Ierland in de heksenkring danste. Ton. En de echte Annie, die al dood was toen ik dit verhaal begon.

Chaia, die de twee lieve gedichtjes schreef.

Liesbeth, voor haar aardigheid en haar gemene vragen.

Mylou, Nanda, Nancy en dorps-Esther, voor het meelezen en het blijven luisteren.

En Ilco natuurlijk, mijn *muirn beatha dan.*

Ik draag dit boek op aan mijn dochters Bloem, Chaia en Dunya.

Anna van Praag

Lees ook:

Hans Kuyper – De fluisterkelders

Lev liet zich over de rand van het asfalt zakken tot zijn voeten het puin raakten. Een steen rolde weg en verdween in het water. De rest van de kademuur leek stevig genoeg om op te lopen. Bij de ingang van het riool trok hij zich op aan een verbogen spijl. Hij zag een gat in het hek dat net breed genoeg was om hem door te laten. Hij kon naar binnen!

Na een verschrikkelijke storm ontdekt Lev een onderaardse gang. Het lijkt wel of er in het duister een lichtje flakkert. Vanuit de gang nadert een schim!

Ineens staat er een meisje naast hem: Rosalinde, maar ze noemt zich Roz. Samen belanden ze bij de fluisteraars, een volk dat in het geheim in de kelders van de stad woont. Is alles wel wat het lijkt in het rijk van de fluisteraars? En vooral... hoe kom je er weer weg?

Het vervolg op *De fluisterkelders:*

Hans Kuyper – Walviseiland

'De bultrug!' riep Roz. 'Hij komt eraan!'

Lev besloot niet te kijken. Met zijn volle gewicht hing hij aan de riemen.

Een grote golf tilde de roeiboot op. Toen zag Lev de walvis. Het beest sprong op uit de golven, maakte een pirouette en kwam met een reusachtig geweld terug in het water.

'Roeien!' schreeuwde Roz. Ze was half overboord gevallen en veegde de natte haren uit haar ogen. 'Kom op, je bent er bijna!'

Het gerucht gaat dat de ouders van Lev gevlucht zijn naar IJsland. Schipper Nonni Vissenbek heeft beloofd om Lev en Roz daar naartoe te brengen – voor veel geld. Maar al aan de Ierse westkust, vlakbij het Walviseiland, zet hij hen uit zijn veilige vissersboot, in een kleine roeiboot. Ze zijn overgeleverd aan de golven en aan een nieuwsgierige walvis. Als ze eindelijk het Walviseiland weten te bereiken, blijkt dit al honderd jaar verlaten te zijn. Hoewel... zijn ze werkelijk alleen?

In het voorjaar van 2008 verschijnt deel 3 in deze serie: *Woud van de Wind.*

Lees ook:

Anna Woltz – Aangespoeld

'Die rots in het midden is leuk,' zei Tomas. 'Net een aangespoeld meisje.'

Nika had met dichte ogen en wijduitgespreide armen staan zonnebaden, maar nu deed ze haar ogen meteen open.

'Welke rots?'

Tomas wees. Eén moment bleef Nika stil staan kijken, toen begon ze te rennen.

'Dat is helemaal geen rots!' riep ze.

Tomas is pas een paar uur op het eiland Kavos wanneer het avontuur van zijn leven begint. Het half-Griekse meisje Nika neemt hem mee naar een eenzaam strand met heftige golven en puntige rotsen. Alleen is Nika's baai vandaag niet verlaten: er ligt een meisje op het strand. Een meisje met bloedende schrammen en gebarsten lippen. Tomas en Nika willen de politie roepen, hun ouders, of in elk geval de oude Griekse dorpsdokter, maar dan raakt het aangespoelde meisje in paniek.

Geen dokter. Geen ouders. En zeker geen politie.

Er zit niks anders op. Dit is een mysterie dat Tomas en Nika zelf moeten oplossen.

Maar hoeveel is er waar van de verhalen van het aangespoelde meisje?